LA SCIENCE AU
BOUT DES DOIGTS
B.R.C.E.
Vol. : 1

Collection dirigée par Michel Paquin

Cette collection est inspirée de l'Apprentissage de la Pensée scientifique, cours de sciences à l'élémentaire, écrit par le B.R.C.E. Inc. (Bureau de Recherche et de Consultation en Éducation), publié par Librairie Beauchemin Ltée.

B.R.C.E.

LA SCIENCE AU BOUT DES DOIGTS

Vol. : 1 (8 à 10 ans)

Jacques Frenette Éditeur Inc.
Montréal, Québec

- Adaptation et rédaction
  Claire Dupond
- Conception graphique
  Studio Ad Hoc Enrg.
- Composition et montage
  Rive-Sud Typo Service Inc.
- Impression
  Métropole Litho Inc.

© A.P.S. 1971
Par Librairie Beauchemin Ltée.
© Jacques Frenette Éditeur Inc. 1980.
Tous droits réservés
Bibliothèque nationale du Québec
Dépôt légal 3ième trimestre 1980
ISBN 2-89190-001-4

TABLE DES MATIÈRES

La collection **La Science au bout des doigts** *veut, grâce à des activités simples et amusantes, t'aider à comprendre les diverses facettes du monde où nous vivons. Tous les jeux présentés dans ce livre n'ont d'autre but que de te familiariser avec des phénomènes comme l'électricité, le corps humain ou les plantes. Tu peux, selon le cas, y jouer seul ou avec des amis, dehors ou dans la maison, en hiver, en été ou durant toute l'année. Tu peux aussi les suivre dans l'ordre ou choisir d'abord ceux qui t'attirent le plus. Mais tu dois bien comprendre ceci: quand tu commences une expérience, il est très important que tu la termines, même lorsque, comme dans le cas des plantes, elles demandent un certain temps. Ne te décourage pas si tu rencontres une difficulté, ça fait partie du jeu. Et si tu te trompes en cours de route, ce n'est pas grave. Essaye plutôt de découvrir ton erreur et recommence tranquillement. C'est ce que font tous les grands savants quand, par exemple, ils veulent construire une fusée ou découvrir un médicament. Ils n'y arrivent jamais du premier coup. Et, de la même façon qu'ils se font aider par des collaborateurs, tu peux toujours demander un coup de main à tes parents.*
Tous les jeux que nous t'offrons demandent essentiellement beaucoup de curiosité, un peu de patience et surtout l'envie de découvrir et de comprendre. Alors, tu t'apercevras que la science n'a rien de sorcier et qu'on n'a pas besoin d'être un adulte pour se livrer à des expériences. Tu pourras même en inventer d'autres, tout seul ou avec tes amis.

Et, maintenant, à toi de jouer!

1 LES ENQUÊTES

Dans ce chapitre, tu pourras procéder à toute une série d'enquêtes sur des sujets très variés. Par ces jeux, tu suivras le cheminement de pensée que l'on retrouve chez tous les excellents enquêteurs: détectives, chercheurs et savants.

Tu verras que ce sera un processus très utile pour la réalisation des activités contenues dans la collection de **La Science au bout des doigts** et de tes travaux scolaires.

Bonne Chance!

LE SECRET DES MOTS

Les mots sont très importants puisqu'ils nous permettent de communiquer avec les autres. Mais, grâce à eux, on peut aussi découvrir ce qui intéresse les gens que nous connaissons. Avec cette enquête, tu pourras savoir à quoi pensent le plus tes amis, ta maman ou ton grand frère. Et si tu en as envie, tu pourras essayer de tirer d'autres conclusions des résultats obtenus.

L'enquête

Tout d'abord, tu dois choisir tes « sujets ». Est-ce que tu vas interroger seule-ment tes amis ou des grandes personnes, comme tes parents, ta gardienne, etc., ou encore mélanger les deux groupes? Tu n'as pas besoin de les interroger tous ensemble, mais ça pourrait être plus amusant, surtout au moment d'analyser les résultats.

Demande ensuite à tes « sujets » de dire ou d'écrire rapidement 10, 15 ou 20 mots, les premiers qui leur passent par la tête. S'ils parlent, tu ferais bien de les enregistrer au magnétophone. Sinon, demande-leur de remplir une *fiche* comme celle-ci:

Tu pourras aussi t'en servir pour inscrire en colonne et dans l'ordre où ils ont été dits les mots que tu auras enregistrés. S'il y en a que tu ne connais pas, cherche-les dans le dictionnaire. Fais aussi ta propre liste et compare-la avec les autres.

L'analyse

Ici, ça devient très intéressant. Examine bien tes fiches et prépare des *tableaux cumulatifs des résultats* pour mieux les analyser:

- la longueur
- la première lettre
- etc.

— Les mêmes idées reviennent-elles souvent?
— Remarques-tu une différence entre les choix de

Mots écrits par tes amis/des garçons	Mots écrits par des adultes/des filles
_____ _____ _____ _____ ...	_____ _____ _____ _____ ...

— Est-ce que les mots expriment ce qui intéresse tes « sujets », comme des jeux, le travail, des activités qui ont lieu à la maison ou à l'école?
— Ou bien ont-ils été choisis selon:

- la rime

tes amis et ceux des adultes?
— Entre ceux des filles et ceux des garçons?
— Peux-tu faire des catégories:

- Verbes, noms, adjectifs;
- Choses de la maison, de l'école, de la rue, etc.

Si tu veux, dresse un graphique — qui s'appelle un *histogramme* — des mots que tu as recueillis, afin d'en évaluer la fréquence, soit globalement, soit selon les groupes de « sujets ». Nous avons inscrit quelques catégories pour te donner un modèle, mais tu peux les remplacer selon les résultats que tu auras obtenus:

Y a-t-il encore d'autres informations que tu pourrais découvrir à partir de tes fiches? Demande à tes amis ce qu'ils en pensent.

Avec ce premier jeu, tu viens d'apprendre comment préparer et interpréter une enquête. Nous allons donc, maintenant, passer à un autre sujet.

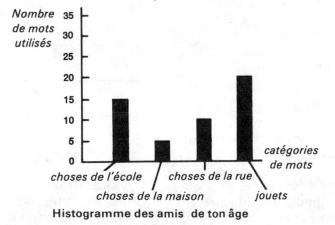

Histogramme des amis de ton âge

LES JEUX

Chaque saison offre ses jeux. En hiver, c'est le hockey, le patinage ou le ski; en été, c'est la corde à sauter, la bicyclette, le ballon ou la marelle. Mais il y en a beaucoup d'autres auxquels on ne pense pas toujours, comme les poupées, colin-maillard, le train électrique ou le jeu de poches. Voici une enquête qui te permettra de connaître les jeux préférés de tes amis. Elle se déroule de deux façons.

L'observation

Pendant toute une semaine, regarde à quoi jouent tes camarades et note tes observations sur des fiches.

Par exemple, tu vois que, le lundi, trois d'entre eux jouent aux billes, six à cache-cache, deux à la marelle, et ainsi de suite. À la fin de la semaine, tu sais quels sont les trois jeux qui reviennent le plus souvent.

L'enquête

Quand tu as bien étudié tes résultats, prépare, pour chacun de tes camarades, une fiche où tu auras inscrit ces trois jeux.

Ensuite, demande-leur d'y indiquer leurs préférences par des chiffres: 3 (qui vaut trois points) à côté de leur premier choix, 2 (deux points) vis-à-vis du second et 1 (un point) pour le troisième.

balle ·	2
cache-cache	1
billes	3

Modèle

Quand ils ont terminé, ramasse toutes les fiches et examine leurs réponses.

Pour avoir une vue d'ensemble, additionne tous les points pour chacun des jeux et inscris ces résultats sur un nouveau tableau :

Tu peux aussi découvrir, de cette façon, qui aime

balle	60 points
cache-cache	10 points
billes	30 points

Modèle

Est-ce qu'ils correspondent à ce que tu avais observé?

Avec les données que tu as recueillies, bâtis un histogramme.

Tu peux faire d'autres enquêtes à partir des jeux d'intérieur, d'hiver, de groupe ou individuels.

jouer d'un instrument de musique, qui fait une collection, qui préfère dessiner ou faire du bricolage, etc.

Maintenant que tu sais ce qui plaît à tes camarades, tu es certain, lorsque tu les inviteras à une fête, que personne ne s'ennuiera.

L'ARGENT DE POCHE

Tous les enfants aiment bien se faire de l'argent de poche parce que, comme ça, ils peuvent s'acheter ce qu'ils veulent ou voir leurs économies grossir plus vite. Tu connais sûrement plusieurs moyens d'en gagner: passer les journaux, tondre le gazon, pelleter la neige, garder des enfants. Et tes amis, comment font-ils?

Prépare une fiche comme celle-ci et demande-leur de la remplir si tu veux savoir quel est le moyen *le plus populaire*.

— Crois-tu que les garçons et les filles répondront la même chose?

— Peux-tu trouver les raisons qui expliquent leur choix?

— Pendant ton enquête, demande-leur le moyen qu'ils préféreraient *s'ils avaient le choix*?

— Penses-tu que tu obtiendrais les mêmes réponses si tu t'adressais à des enfants de douze ans?

— Peux-tu deviner leurs préférences?

— Vérifie si tu as deviné juste en les interrogeant.

Nom _____

Âge _____ Sexe _____

Moyen **préféré** de se faire de l'argent de poche

_____

Maintenant, analyse tes résultats en préparant un tableau cumulatif, du genre de celui-ci:

Nom des enfants	Âge	Sexe	Moyen de se faire de l'argent de poche
___	___	___	_____
___	___	___	_____
___	___	___	_____
___	___	___	_____
___	___	___	_____

Ensuite, bâtis un histogramme en te basant sur les moyens suggérés.

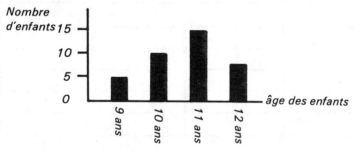

Histogramme des enfants qui passent les journaux pour se faire de l'argent de poche

As-tu trouvé des moyens auxquels tu n'avais pas pensé? Et tes idées, pourraient-elles aider tes camarades? Discutes-en avec eux. Vous en trouverez peut-être d'autres.

que tu as terminé une chose, raye-la de ta liste. Cela t'aidera à ne rien oublier.

LA CIRCULATION

Il t'arrive sûrement, lorsqu'il pleut un jour de congé, de t'installer devant la fenêtre pour regarder passer les autos. Pourquoi ne reprendrais-tu pas cette activité, mais, cette fois, avec un objectif précis? Par exemple, tu pourrais baser ton enquête sur les marques ou les couleurs des voitures, le nombre ou le genre de camions, etc.

Préparation

Réfléchis, tout d'abord, au moyen le plus efficace de recueillir ces renseignements. Travailleras-tu seul ou avec des amis? Choisiras-tu la rue où tu habites ou vaut-il mieux que tu t'installes en face du supermarché où tes parents achètent les provisions de la semaine?

Prépare ton matériel en fonction des renseignements dont tu as besoin. Ta fiche ne sera pas la même si tu choisis simplement de compter les voitures ou d'observer les marques. N'oublie pas non plus de noter le jour, ainsi que le temps que tu auras passé à ton poste d'observation. Prévois de l'espace pour toutes les autres données que tu voudras rassembler.

marques	jour	jour	jour
	de 10h à midi	de 2h à 4h	de 1h à 3h
Mercury			
Renault			
Honda			
Rabbit			

Modèle

S'il te manque des informations sur les automobiles, adresse-toi à un marchand ou à un garagiste. As-tu d'autres idées?

Une fois que tu es prêt à passer à l'action, choisis un endroit *où tu seras à l'abri de la circulation,* parce que les automobilistes ne sauront pas pas que tu te livres à une enquête.

Quand tu juges que tu as observé la circulation suffisamment longtemps, analyse tes données, mais après avoir bien vérifié si tu as répondu à tous tes objectifs de départ. Voici quelques exemples.

— Il y a deux fois plus de voitures de telle marque que de telle autre.
— Devant chez moi, il y a plus de gens qui circulent à pied qu'en automobile.
— On ne voit presque pas de camions poids lourd passer devant l'école, seulement des camionnettes de livraison.

Comme autre étape, tu pourras fabriquer avec de la plasticine ou tout autre matériau un modèle réduit de la voiture la plus courante, selon les résultats de ton enquête. Ou encore, réunis tes camarades et faites un grand collage avec beaucoup d'automobiles.

Conseil : Si tu as du mal à reconnaître les marques de voiture, observe plutôt les gens. Par exemple, qui va au supermarché: des mères de famille? Des jeunes? Des hommes? Dans l'après-midi, vois-tu beaucoup de personnes qui poussent un carrosse? Y a-t-il beaucoup de bicyclettes? Ne te limite pas à nos suggestions. Invente tes propres thèmes.

LES VOYAGES

Si tu as déjà fait un voyage en auto avec tes parents, tu t'es sûrement demandé, en les voyant déplier une grande carte routière, comment ils faisaient pour s'y retrouver. Avec ce nouveau jeu, tu vas apprendre à lire une carte et à évaluer les distances. Ainsi, la prochaine fois que tu partiras en voyage avec ta famille, tu seras le « navigateur » (dans les rallyes automobiles, c'est comme ça qu'on appelle celui qui guide le conducteur).

MATÉRIEL

Voici la liste des accessoires dont tu auras besoin:
carte routière (tu en trouveras dans les stations-service)
ficelle
papier millimétré
crayon
papier collant

Première étape

Procure-toi une bonne carte routière de la Province et examine-la bien.

— Est-elle quadrillée ?
— Comporte-t-elle des lettres sur les côtés et des chiffres dans les marges du haut et du bas ? À quoi servent-ils ?
— Où sont inscrits les noms des villes et villages?

— Dans quel ordre ?
— Cherches-y ta ville et, à partir des coordonnées (lettres et chiffres), tâche de la trouver sur la carte. Indique-la avec une étoile ou un cercle, comme sur le modèle.

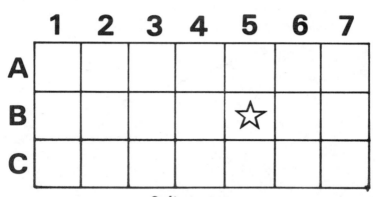

Québec : B-5

Pour t'exercer encore un peu, cherche quelques villes dont les noms te viennent à l'idée.

Deuxième étape
Demande à tes camarades où ils iront en vacances, l'été prochain, ou encore faites ensemble la liste des villes que vous aimeriez visiter.

Choisis l'un de tes amis comme collaborateur et cherchez, une par une, les villes sur la carte. Marque-les comme sur le premier modèle.

Avec un morceau de ficelle, mesure la distance qui sépare la ville où tu habites d'une de celles de votre liste:

ta ville
(point de départ)

l'autre ville
(destination)

Fixe à cette ficelle une étiquette indiquant ce qu'elle
représente et mets-la de
côté. Continue comme ça
pour les autres villes :

Découpe des bandes de
papier de la longueur de
chaque ficelle, écris dessus
le nom correspondant et
colle-les sur une feuille

Monique va à *Val-Morin*	*Paul va à* *Montréal*	*Louis va à* *Québec*

Troisième étape

En te fiant à la longueur
des ficelles, quelle est la
destination la plus
éloignée ?

millimétrée ou quadrillée ;
dans la marge, écris en
colonne les distances par
dizaine de kilomètres :

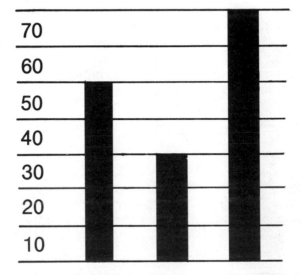

Voici maintenant comment tu peux mesurer le nombre de kilomètres représentés par chaque bande de papier:

— Cherche l'échelle d'équivalence sur ta carte.

— Un centimètre sur ta carte représente combien de kilomètres dans la réalité ?

En t'inspirant du modèle ci-dessous, fais tes calculs. Tu sauras alors durant combien de kilomètres tes amis devront voyager ou encore la distance qui sépare les villes de ta liste de celle où tu habites.

Affiche ton tableau dans ta chambre. Tu pourras l'utiliser pour expliquer à tes amis comment lire une carte routière.

Ex.: sur ma carte .... *dans la réalité*

1 cm ....*10 Km*

Montréal à ma
ville: 7 cm .... *7 x 10 = 70 Km*

Val-Morin à ma
ville: 9 cm .... *9 x 10 = 90 Km*

À TABLE!

D'habitude, quand tu invites tes amis à dîner, ce sont tes parents qui décident du menu. Cette fois-ci, s'ils sont d'accord, c'est toi qui vas t'en charger. Pour être certain de faire plaisir à tout le monde, renseigne-toi d'abord sur leurs préférences.

Dresse d'abord la liste des amis que tu veux inviter. Ensuite, prépare un tableau et demande à chacun ce qu'il aurait envie de manger.

Le résultat de ton enquête pourra ressembler à ceci:

boissons
jus d'orange
lait
lait au chocolat

sandwiches
jambon
poulet
tomates

hors-d'oeuvre
céleri
olives

nom	boisson	sandwich	hors-d'oeuvre	dessert	autre

desserts
gâteaux
fruits
fromage

Qu'est-ce que tu vas faire? Vas-tu suivre les goûts de chacun ou ceux de la majorité de tes invités ? Tu dois prendre une décision.

Y a-t-il des choses que tu devras éliminer de ta liste? Pourquoi?

Une fois que ton menu est établi, tu dois aller à l'épicerie acheter ce qu'il te faut. Détermine d'abord les quantités nécessaires (par exemple, un pain, une bouteille de lait, six pommes). Ensuite, fais un tour à l'épicerie pour te renseigner sur le prix de ces aliments. N'oublie pas d'emporter de quoi écrire.

De retour à la maison, calcule le prix total du repas *sans te tromper*. C'est très important, sinon tu risques de ne pas avoir assez d'argent sur toi au moment de payer tes achats.

Il te reste maintenant à préparer le repas. Peut-être voudras-tu demander à un ou deux de tes invités de te donner un coup de main. Si tu as établi un histogramme des préférences de chacun, surtout pour les sandwiches, cela pourra t'aider à savoir combien de temps tu passeras dans la cuisine. N'oublie pas la présentation, c'est toujours agréable. Pense aussi aux accessoires comme les serviettes, les verres, etc. Mangerez-vous à l'intérieur ou ferez-vous un pique-nique dans le parc ?

Enfin, si tu as déjà fait l'enquête sur les jeux, tu n'auras aucun mal à organiser un bel après-midi pour que tes amis soient enchantés de la façon dont tu les reçois.

TERMINUS!

Si tu prends l'autobus pour te rendre en classe, tu as sûrement trouvé qu'il est bien petit pour tout le monde qui veut y monter ! Cette nouvelle enquête te permettra de savoir combien de personnes empruntent un circuit d'autobus à un moment précis de la journée.

Choisis d'abord l'autobus qui t'intéresse. S'il est sur une ligne importante, demande à des amis de t'aider dans ton enquête et n'oubliez pas d'emporter de quoi écrire.

Note d'abord son numéro ou sa destination, selon le cas. Fais le trajet une première fois pour repérer quelques arrêts et identifie-les par une lettre: A = Martel; B = Drolet, etc.

À présent, tu peux procéder à ton enquête.

— En montant dans l'autobus, compte le nombre de passagers qui s'y trouvent déjà, y compris ceux qui sont montés en même temps que toi.

— Aux arrêts que tu as choisis, inscris les données suivantes :

De retour chez toi, trace l'histogramme des gens qui sont montés, puis celui de ceux qui sont descendus durant le trajet.

Arrêts	Montent	Descendent
A		
B		
C		

Nombres de personnes qui montent

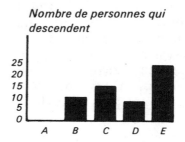

Nombre de personnes qui descendent

Tu es maintenant en mesure de répondre aux questions suivantes :

— Combien y avait-il de personnes dans l'autobus après le premier arrêt ? le second ? le troisième ?
— À quel arrêt as-tu vu descendre le plus de passagers ?
— À quel arrêt ont-ils été les moins nombreux à descendre ?
— Et ceux qui sont montés? À quel arrêt y en a-t-il eu le plus ? le moins ?

Établis un troisième histogramme montrant combien de passagers se trouvaient dans l'autobus entre chaque arrêt.

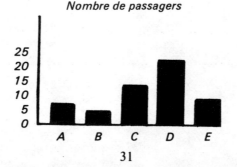

Nombre de passagers

Peux-tu faire d'autres observations ? Y avait-il surtout des femmes, des hommes, des enfants ? Avaient-ils l'air content, fatigué ? Si tu as été trop occupé à les compter, peut-être pourras-tu faire une autre enquête à partir d'autres données.

As-tu pensé à interviewer un chauffeur d'autobus ? Ou à te documenter sur les transports en commun ?

L'HALLOWEEN

C'est le soir de l'Halloween que tous les enfants, en Amérique du Nord, se déguisent et passent de porte en porte pour se faire une bonne provision de fruits et de friandises. Mais ce n'est pas là la seule occasion de se déguiser. Il y a aussi le Mardi-Gras, la veille du Mercredi des Cendres, et puis chaque fois qu'on en a envie.

Si tu avais l'intention d'organiser une fête costumée, quel costume choisirais-tu ? Et tes amis, quels déguisements préfèrent-ils ? Voici un bon sujet d'enquête.

Après avoir dressé la liste de tes camarades, interroge-les sur leurs goûts. Il y en aura peut-être qui ne voudront pas te répondre parce qu'ils préfèrent surprendre tout le monde, mais c'est là le risque du métier !

Une fois que tu as toutes tes réponses, dresse un tableau des résultats:

	1	2	3	4	5	6	7	8	9	10
squelette :	■	■	■	■	■	■	■			
chevalier :	■	■	■		■	■	■			
indien :	■	■	■	■	■	■				
fée des étoiles :										

Crois-tu que tu aurais obtenu les mêmes réponses si tu avais interrogé des enfants de six ans? ou de douze ans? Fais une nouvelle enquête et établis un tableau pour chaque groupe.

Avec tes trois tableaux, tu disposes de beaucoup de renseignements. Tu peux les utiliser de plusieurs façons. Par exemple, pourquoi ne pas dessiner les costumes qui plaisent le plus aux enfants, ou encore faire une bande dessinée sur ce thème ? ou un collage ? Tu peux aussi te documenter sur la façon de fêter l'Halloween dans divers pays. Il y a également d'autres fêtes où les gens se déguisent. As-tu déjà entendu parler du carnaval de Rio de Janeiro ou de celui de Nice ? Pourquoi, à ton avis, les hommes ont toujours aimé se déguiser ? Comme ces dernières questions demandent beaucoup de recherches, tu pourrais les faire en collaboration avec tes amis, et chacun, ensuite, raconterait aux autres ce qu'il a découvert.

LA MODE

Avec l'Halloween, on a parlé de déguisements. Mais il y a aussi les vêtements qu'on porte tous les jours. Si tes camarades te demandaient de leur en dessiner, tu aurais besoin de connaître *leurs couleurs préférées.* Voici comment t'y prendre.

Tout d'abord, tu dois trouver la couleur dominante pour chacun ; ce n'est pas tellement facile parce qu'on change de vêtements tous les jours. Mais tu y arriveras en étalant ton enquête sur une semaine, par exemple. Demande à deux ou trois amis de t'aider à recueillir les informations.

Pendant toute une semaine, donc, tu observes comment tes amis sont habillés. Le lundi, Lise est en bleu, le lendemain, elle porte du jaune et le mercredi elle a une jupe bleue et une blouse blanche. Claude, lui, porte du brun pendant deux jours et du vert, le troisième. Plus ton observation durera, plus tes renseignements seront justes.

À la fin de la semaine, dresse un histogramme.

Penses-tu avoir trouvé les couleurs que tes amis préfèrent ? Pour t'en assurer, distribue-leur des fiches comme celle-ci et demande-leur de dessiner trois étoiles à côté de la couleur qu'ils préfèrent le plus, deux à côté de celle qu'ils aiment bien et une vis-à-vis de leur troisième choix.

Bleu	
Blanc	
Rouge	
Vert	
Jaune	
Noir	
Brun	
Rose	
Gris	
Autres	

Il ne te reste plus qu'à additionner le nombre d'étoiles pour chaque couleur et tu sauras alors s'il y en a une qui plaît vraiment davantage à la majorité de tes amis. En même temps, tu pourras vérifier si tes observations étaient justes.

LA COLLECTION DE TIMBRES

Les timbres servent à affranchir le courrier et la personne qui les collectionne s'appelle un philatéliste. Sauf exception, les philatélistes ne se contentent pas de ramasser les timbres comme ça, n'importe comment. Ils les collectionnent plutôt en fonction d'un thème ou d'un pays. Les thèmes sont très nombreux — fleurs, oiseaux, avions, architecture, animaux — et ils permettent d'apprendre beaucoup de choses. Veux-tu voir comment, avec les animaux, par exemple ?

La collection

La première chose à faire, si tu décides de collectionner des timbres, c'est de t'équiper. Tu vas chez un marchand de timbres et tu lui achètes une loupe (si tu n'en as pas chez toi) et des *charnières*. Ce sont de tout petits morceaux de papier collant qui permettent de coller les timbres sans les abîmer. Demande au marchand de te montrer comment t'en servir.

Ensuite, tu commences à ramasser des timbres représentant des animaux. Ils sont extrêmement variés et on y trouve la faune du monde entier.

Si tu récupères des timbres qui sont déjà collés sur des enveloppes, tu dois les décoller en faisant très attention parce que s'ils ont été pliés ou qu'il leur manque une seule dent, ils n'ont plus du tout de valeur. Et si, un jour, tu décides de devenir philatéliste, tu pourrais regretter ton manque de soin.

Tout d'abord, tu découpes l'enveloppe autour du timbre avec des ciseaux et en laissant une bonne marge. Ensuite, tu le mets à tremper dans un bol d'eau jusqu'à ce qu'il se détache sans la moindre résistance du morceau d'enveloppe. S'il résiste, c'est que tu n'as pas attendu assez longtemps. Une fois qu'il est décollé, tu le déposes bien à plat sur du papier absorbant ou un buvard, tu le recouvres d'une autre feuille de ce papier ou d'un second buvard et tu déposes quelque chose de lourd par-dessus (un dictionnaire, par exemple, ou l'annuaire du téléphone) pour qu'il sèche en redevenant bien plat.

Les marchands de matériel philatélique vendent des petites pinces spéciales qu'on appelle des brucelles et qui permettent de manipuler les timbres sans risquer de les abîmer. Tu pourras peut-être t'en procurer une paire. Ainsi, quand ton timbre sera sec, tu pourras le prendre plus facilement.

La recherche

Avec une charnière, colle ton timbre sur une fiche lignée et, à côté, inscris toutes les informations qui pourront t'être utiles. Inspire-toi du modèle suivant:

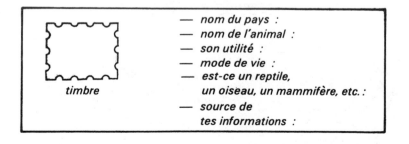

— nom du pays :
— nom de l'animal :
— son utilité :
— mode de vie :
— est-ce un reptile, un oiseau, un mammifère, etc. :
— source de tes informations :

timbre

Continue avec tous les autres timbres que tu peux trouver sur ce sujet. Si tu n'as pas assez de place sur la fiche pour y inscrire toutes les informations que tu auras trouvées, ajoutes-en une seconde.

Fais-toi un fichier avec des séparations pour bien dis-tinguer les catégories d'animaux. Tu devras peut-être aussi prévoir des sous-divisions. Enfin, c'est à toi de réfléchir au genre de fichier qui te semble le plus pratique.

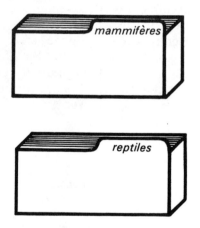

Modèle

Maintenant, tu as le choix. Tu peux continuer à ramasser des timbres de cette façon, ou tu peux commencer une vraie collection. Dans ce dernier cas, ce serait bon que tu te procures un album de timbres. Ils seront mieux protégés que sur des fiches. Et cela ne t'empêche nullement de continuer ton fichier en même temps; simplement, tu ne colles plus le timbre sur la fiche, tu te contentes d'inscrire le nom de l'animal qu'il représente avec, si tu en as envie, une indication qui te permettra de le retrouver rapidement dans ton album.

Enfin, si les timbres ne t'attirent pas, tu peux procéder au même genre de recherche en collectionnant des cartes illustrées comme celles qu'on trouve dans les boîtes de céréales ou autres et qui représentent des animaux, des oiseaux, etc. Tu verras que c'est un passe-temps des plus intéressants.

QUATRE VITESSES AU PLANCHER

Es-tu amateur d'automobiles, de courses, de voitures sport? Pourrais-tu dire quelle voiture est la meilleure ou la plus rapide?

Pour répondre à ces questions et à toutes celles que tu te poses à ce sujet, tu n'as qu'à faire une enquête, ce qui te sera d'autant plus facile que tu sais maintenant comment t'y prendre. En plus, ici, tu as le choix entre deux méthodes ou bien tu peux les employer toutes les deux.

Tout d'abord, interroge tes parents et ceux de tes camarades. Demande-leur quelle est la voiture qu'ils préfèrent, celle qu'ils trouvent la plus puissante ou la plus rapide, et pourquoi.

Va également voir des mécaniciens, des garagistes et pose-leur les mêmes questions. Tu auras peut-être la chance de pouvoir interroger un coureur automobile ! Dans ce cas, profite de l'occasion pour lui demander ses impressions pendant une course, etc.

Rappelle-toi que tu connais plusieurs méthodes pour mener une enquête et analyser les résultats. Si les personnes que tu rencontres n'ont pas le temps de te répondre tout de suite, demande-leur si tu peux leur laisser une fiche que tu reviendras chercher plus tard.

Nom _____
Âge _____
Sexe _____
Métier _____
À votre avis, quelle voiture est la meilleure?
_____
Pourquoi? _____
_____

Un jour de congé, demande à tes parents ou à un garagiste qui n'est pas trop occupé de te montrer un moteur d'automobile et de t'expliquer son fonctionnement. Essaie de reconnaître les pièces les plus importantes.

Tu peux également entreprendre une recherche sur les débuts de l'automobile, collectionner les dépliants publicitaires ou commencer une collection de voitures miniatures.

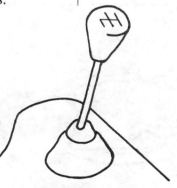

UNE BONNE ALIMENTATION

Demande à une dizaine de tes camarades s'ils seraient d'accord pour participer, durant une semaine environ, à une enquête sur ce qu'ils mangent aux repas.

Prépare-leur une fiche questionnaire couvrant les trois repas quotidiens et n'oublie pas d'y inscrire les aliments suivants : pain, lait, fruits, viandes, poissons, légumes, oeufs et desserts autres que les fruits.

aliments	Aliments pris aux repas														
	lundi			mardi			mercredi			jeudi			vendredi		
	matin	midi	soir	matin	midi	soir	matin	midi	soir	matin	midi	soir	matin	midi	soir
viandes	bacon														
légumes															
poissons															
fruits	orange														
desserts															
pâtes alimentaires															
boissons	lait														
autres (préciser)	oeufs pain														

Quels sont les aliments qui reviennent le plus souvent? Le moins souvent? Dessine un histogramme pour mieux évaluer les résultats de ton enquête.

À partir de cette enquête, tu peux en élaborer d'autres : par exemple, sur les viandes, les légumes ou les fruits.

Profite de l'occasion pour interroger tes amis sur leurs plats préférés et prolonge ton enquête en tâchant de trouver les ingrédients qui les composent : viande ou poisson, légumes, épices.

Demande les recettes à tes parents. Ça te permettra de vérifier si tu avais vu juste.

Sortes de viandes absorbées durant une semaine												
poulet	X	X	X	X								
jambon												
steak	X											
porc												
veau	X											
etc.												

LE FACTEUR

T'es-tu jamais demandé combien de lettres un facteur peut distribuer en une journée ? La seule chose qu'on puisse dire comme ça, de but en blanc, c'est qu'il en distribue beaucoup ! De nouveau, fais ta petite enquête en demandant ce qu'ils en pensent à tes amis, à tes parents et à tes voisins. Avec une fiche comme celle-ci, tu pourras facilement analyser leurs réponses:

Nom: _____ Âge _____

Combien de lettres le facteur livre-t-il dans une journée?
_____

Réunis tous tes renseignements sur une fiche compilative.

Nom	Âge	Métier	Nombre de lettres livrées par le facteur

Quelle est la réponse qui te semble la plus juste ? Qui te l'a donnée ?

Dans l'ensemble, crois-tu que les personnes interrogées sont assez près de la réalité ?

La personne la mieux placée pour te dire ce qui en est est, bien entendu, le facteur. Pose-lui la question et, pendant la conversation, demande-lui des précisions sur son travail.

Il serait bon que tu prépares tes questions à l'avance pour ne pas le retarder dans son travail, ou encore tu pourrais faire un bout de chemin avec lui.

Par exemple, demande-lui combien de fois par jour il remplit son sac, combien de lettres celui-ci peut contenir, combien de rues et de maisons il fait quotidiennement.

Avec toutes ces informations, tu devrais être capable d'obtenir la réponse à ta première question. Discutes-en avec tes amis et comparez ce résultat avec ceux de l'enquête.

Tâche de voir si tu ne pourrais pas aller visiter un bureau de poste avec tes amis. Tu y découvrireras sûrement beaucoup de choses surprenantes.

À PIED, À CHEVAL OU À VÉLO!

Le matin, entre huit et neuf heures, les rues sont particulièrement encombrées. C'est que tout le monde part de chez soi à peu près en même temps, que ce soit pour aller au travail ou pour aller à l'école.

Il serait intéressant de faire une enquête sur les moyens de transport que les gens empruntent pour se déplacer et, par la même occasion, d'évaluer la longueur de leur trajet. Prépare tes questions et établis une fiche en conséquence. Tu peux t'inspirer du modèle ci-dessous. N'oublie pas que tu peux te faire aider par tes camarades.

Nom du quartier : _____ *Travail :* _____.

Âge : _____ *Adresse :* _____

Sexe : _____ *Moyen de transport employé :* _____

Temps pour se rendre au travail : à pied _____

à motocyclette _____

en automobile _____

en métro _____

Lorsque tu as récupéré toutes tes fiches, examine-les attentivement. Si une personne a été questionnée deux fois, ne conserve qu'une seule réponse. Ensuite, vois les renseignements que tu peux tirer de ton enquête. Par exemple :

— *L'âge et le moyen de transport*

Les gens de vingt et trente ans prennent-ils plus souvent l'autobus que ceux qui sont dans la cinquantaine ?

— *Le temps et le moyen de transport*

Combien des personnes interrogées trouvent que le trajet est plus court en autobus ? en voiture ?

— *Le respect de l'environnement*

As-tu beaucoup de réponses indiquant une préférence pour la bicyclette ou le métro parce que ces deux modes de locomotion polluent moins l'atmosphère ?

Fais la liste des questions auxquelles tu pourras répondre grâce à tes fiches et dresse des histogrammes pour chacune, afin d'avoir une meilleure vue d'ensemble.

Que devras-tu faire si tu ne trouves pas toutes les réponses dans tes fiches ? Est-ce que cette première enquête sur le transport t'en inspire d'autres? Conserveras-tu la même méthode ou devras-tu en concevoir qui seront différentes. Il y a là matière à réflexion.

LES DÉS CHANCEUX

On parle beaucoup, lorsqu'on joue aux cartes ou aux dés, de l'importance du hasard. Le hasard, c'est la chance, l'imprévisible, ce sur quoi on n'a aucun contrôle. Pourtant, dans le cas des dés, si on ne peut pas supprimer complètement l'effet du hasard, on peut au moins prévoir la fréquence des divers coups possibles.

Pour ce nouveau jeu que tu pourras faire seul ou avec tes amis, tu as besoin de :

2 dés de couleur ou de grosseurs différentes

du papier quadrillé

un crayon

Il s'agit de trouver, en lançant les deux dés, quelle somme revient le plus souvent. Pour que tes conclusions soient valables, tu devras les jeter à plusieurs reprises — cent, par exemple — et inscrire chaque fois le résultat.

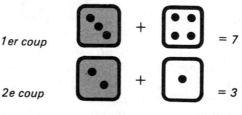

1er coup   + = 7

2e coup   + = 3

Tu peux inscrire seulement la somme ou décomposer tes coups : 2 + 1 = 3. Prépare un histogramme afin de pouvoir regrouper, à la fin de l'expérience, tous les résultats que tu auras obtenus :

— Pourquoi n'as-tu pas inscrit la somme 1 ?

— Quelle somme revient le plus souvent ?

— Quelle somme revient le moins souvent ?

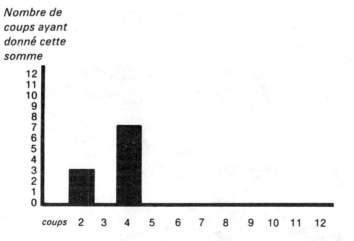

Nombre de coups ayant donné cette somme

— Peux-tu expliquer pourquoi ?

Pour pouvoir répondre à cette dernière question, procède de la façon suivante:

Comment peut-on obtenir 2 avec deux dés ?

$$\boxed{\bullet} + \boxed{\bullet} = 2$$

Comment peut-on obtenir 3 avec deux dés ?

$$\boxed{\bullet} + \boxed{\bullet \bullet} = \boxed{\bullet \bullet} + \boxed{\bullet} = 3$$

Comment peut-on obtenir
4 avec deux dés ?

Continue ainsi jusqu'à 12.

Maintenant, regroupe
toutes tes observations sur
l'histogramme.

Enfin, si tu lançais les dés
cent autres fois, pourrais-
tu prédire quelle somme
reviendra le plus souvent ?

DIX BOÎTES... UN MYSTÈRE

Ce nouveau jeu ressemble un peu à un truc de prestidigitateur, tu sais, celui où il faut deviner ce qu'il y a dans des boîtes fermées. La seule différence, c'est que tu ne dois pas deviner, mais peser. Avant d'aller plus loin, voyons le matériel dont tu auras besoin :

dix petites boîtes identiques, opaques et légères

une soixantaine de billes identiques et légères

une balance à plateaux

deux boîtes de trombones (attache-feuilles) de 3 cm

du papier et du crayon

Préparation

La première chose à faire, c'est de peindre en rouge? Par exemple? Une des boîtes afin de pouvoir la distinguer des autres qui seront toutes de la même couleur.

Ensuite, tu déposes dans chaque boîte, sauf la rouge, un minimum de deux billes et un maximum de dix.

Il ne te reste plus qu'à identifier tes boîtes par des lettres, la rouge étant A et les autres devenant B, C, D, etc.

Le mystère

Il s'agit maintenant de déterminer le poids d'une bille et le nombre de billes qu'il y a dans chacune des boîtes, mais sans les ouvrir.

Pour commencer, dépose la boîte A sur l'un des plateaux de la balance et équilibre-la en mettant des trombones dans le second. N'oublie pas que cette boîte est vide. Retire-la du plateau et compte combien il t'a fallu de trombones pour l'équilibrer. Inscris-le sur ta feuille.

Cette quantité de trombones te servira de point de départ pour peser toutes les autres boîtes, tandis que ceux que tu devras ajouter dans le plateau pour les équilibrer t'indiqueront le nombre de billes qu'elles contiennent ainsi que leur masse.

Par exemple, prends la boîte F. Dépose-la sur le plateau et compte le nombre de trombones nécessaires pour l'équilibrer. Inscris le résultat sur un petit tableau.

boîte A vide	nombre d'attache-feuilles	24
boîte B	nombre d'attache-feuilles supplémentaires	8
boîte C	nombre d'attache-feuilles supplémentaires	4

Recommence l'opération avec les autres.

Si tu veux, tu peux aussi te faire un tableau comme celui-ci :

Observations

— Quelle est la boîte qui contient le plus de billes ?

— En supposant que cette boîte ne contienne qu'une

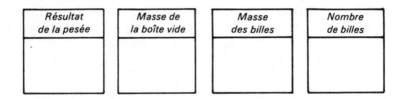

Résultat de la pesée	Masse de la boîte vide	Masse des billes	Nombre de billes

seule bille, comment pourrais-tu calculer le surplus de trombones nécessaire pour l'équilibrer ?

— Combien y a-t-il de billes dans chacune des autres boîtes ?

— Es-tu certain de toutes réponses ?

— D'après tes résultats, pourrais-tu avoir trois billes et demie ?

— Supposons maintenant que la plus légère de tes boîtes contienne deux billes. Est-ce que cela modifie tes premières observations?

— Agite les boîtes. Tes réponses changent-elles? Note-les et compare-les dans chacun des cas.

— Si tu recommences l'opération avec les mêmes billes et des boîtes beaucoup plus lourdes, que se passera-t-il ? Tes résultats seront-ils différents ?

2 L'ÉLECTRICITÉ

Source intarissable de recherche, l'électricité fait maintenant partie de notre quotidien.

Les deux activités qui suivent te permettront de mieux comprendre ce phénomène et de créer toi-même des montages à applications diverses et amusantes.

L'électricité est une source d'énergie qu'il faut traiter avec respect car, comme toute énergie, elle peux être dangereuse si mal employée.

N'ESSAIE JAMAIS DE FAIRE CES EXPÉRIENCES AVEC D'AUTRES SOURCES D'ÉNERGIE QUE DE PETITES PILES SÈCHES.

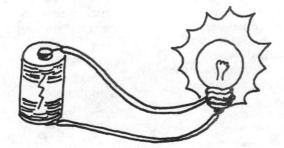

LES OBJETS ÉLECTRIQUES

Pour ton anniversaire, tes parents ont décoré la salle de jeux ou la salle à manger avec des ballons de toutes les couleurs fixés au mur, mais sans le moindre crochet, papier collant ou autre. Si tu les as aidés, tu as sûrement remarqué qu'ils se contentaient de les frotter très fort sur leurs cheveux (j'espère que ton papa n'est pas chauve) ou sur un chandail en laine. As-tu compris ce qui se passait ? C'est ce phénomène que nous allons voir maintenant.

MATÉRIEL
- *ballon en caoutchouc*
- *peigne en plastique*
- *règle en plastique*
- *électroscope*
- *morceau de verre*
- *bocal ou bouteille en verre avec un bouchon isolant (liège, etc.)*
- *retaille de coton*
- *retaille de laine*
- *tige de caoutchouc*
- *paraffine*
- *divers objets de toute nature*

Expériences

Cette chose invisible qui retenait les ballons contre le mur est de l'électricité. On l'appelle, électricité statique. Pourrais-tu expliquer d'où elle provient? Y a-t-il chez toi ou à la bibliothèque de l'école des livres qui te donneraient la réponse ?

Crois-tu que si tu frottes ensemble n'importe quels objets, tu pourras produire de l'électricité statique ?

Fais l'expérience suivante: prends une feuille de papier et déchire-la en tout petits morceaux. Approche ensuite un peigne de ces morceaux, mais sans les toucher. Que se passe-t-il ?

Maintenant, frotte énergiquement ce peigne dans tes cheveux et recommence. Qu'arrive-t-il ? Est-ce que les morceaux de papier se collent contre lui ?

Tu devras peut-être recommencer l'expérience quelques fois parce qu'elle ne réussit pas toujours du premier coup. Si ça ne marche pas du tout, c'est peut-être parce que l'air est trop humide ou que tu utilises un peigne métallique. Dans ce cas, attends que le soleil revienne pour reprendre ton expérience ou sers-toi d'une règle en plastique.

Si le peigne ou la règle attire les morceaux de papier, c'est parce que tu les as chargés d'électricité statique en les frottant contre tes cheveux.

Pour savoir si un corps — ou un objet — contient de l'électricité, construis un électroscope. Pour ça, il te faut une fiole conique (ou toute autre bouteille), une tige métallique qui est recourbée à ses deux extrémités, un bouchon en matière isolante comme le caoutchouc et deux feuilles métalliques que tu suspendras à l'extrémité de la tige. Tu peux tailler ces feuilles dans le papier d'aluminium qui enveloppe les cigarettes ; n'oublie pas d'enlever le papier qui le double.

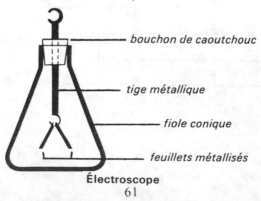

bouchon de caoutchouc

tige métallique

fiole conique

feuillets métallisés

Électroscope

Si tu touches l'extrémité de la tige métallique avec un objet électrisé, tu verras les feuilles s'éloigner l'une de l'autre.

Attention : N'oublie pas de décharger ton électroscope avant de le toucher avec un objet, c'est-à-dire d'enlever l'électricité. Pour ça, tu frottes bien la tige avec tes mains nues.

— Approche ton peigne de l'électroscope. Est-il électrisé ? Note le résultat.

— Prends maintenant le morceau de verre et frotte-le avec la retaille de coton. Le verre est-il électrisé ?

— Fais la même chose avec la tige de caoutchouc et le morceau de laine.

— Continue tes expériences avec d'autres objets. Note toujours tes résultats sur un tableau comme celui-ci :

Objet	frotté avec	électrisé (oui ou non)

Dresse ensuite deux listes : l'une pour les substances électrisées, l'autre pour les objets non électrisés.

Est-ce que les éléments de tes deux listes ont quelque chose en commun ?

Quelles conclusions pourrais-tu en tirer ?

Veux-tu faire une autre expérience ? Dépose un crayon ou tout autre objet sur une bouteille ou un bocal en verre ou encore sur un morceau de paraffine. Approche l'électroscope d'une des extrémités du crayon et touche l'autre avec une règle électrisée. Que remarques-tu?

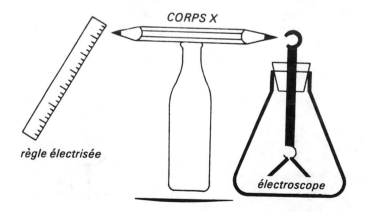

règle électrisée

CORPS X

électroscope

DES PONTS ÉLECTRIQUES

Tu viens de voir, avec l'électroscope, que certaines substances peuvent ou non être électrisées. On va voir maintenant celles qui conduisent ou non l'électricité.

MATÉRIEL
- *une pile sèche du type D*
- *ampoule (petite)*
- *fils*
- *pinces (type alligator)*
- *lamelle de cuivre*
- *lamelle de fer*
- *lamelle de verre*
- *lamelle de cuir*
- *morceau de carton*

Expériences

Construis un montage comme celui de la figure 1. Il représente un circuit électrique. S'il est bien monté, tu verras la petite ampoule s'allumer. Dans le cas contraire, vérifie si tes pinces sont bien serrées ou encore si la pile ou l'ampoule ne sont pas usées.

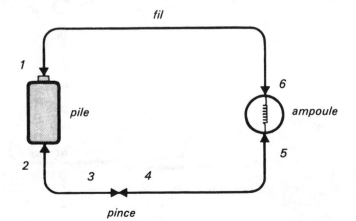

Figure 1

— Que se passe-t-il ?

— Peux-tu dire pourquoi?

— Si tu décroches tes pinces, que se passe-t-il ? Et si tu les raccroches ?

— Peux-tu expliquer ce phénomène ?

Maintenant, ouvre ton circuit en décrochant les pinces 3 et 4 et insère entre celles-ci une lamelle de cuivre, comme sur la figure 2. Un sous fera l'affaire, si tu ne trouves pas de lamelles.

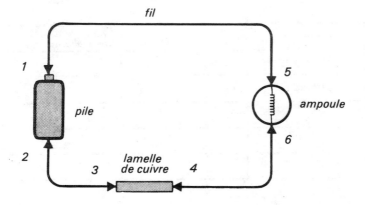

Figure 2

— Qu'est-ce que tu remarques ?

— Peux-tu expliquer pourquoi ?

Remplace maintenant la lamelle de cuivre par un morceau de carton.

— Que se passe-t-il ? Comprends-tu pourquoi ?

Recommence la même expérience avec toutes sortes de lamelles et note tes observations sur un tableau comme celui-ci.

lamelle	oui l'ampoule s'allume	non, l'ampoule ne s'allume pas
cuivre		
carton		
verre		
fer		
cuir		

En t'aidant de ton tableau, peux-tu répondre à ces questions?

— Quelles sont les substances qui laissent passer l'électricité?

— Ont-elles quelque chose en commun ?

— Qu'est-ce que c'est?

— Quelles sont les substances qui ne laissent pas passer l'électricité?

— Ont-elles quelque chose en commun ?

— De quoi s'agit-il ?

Reprends ton expérience avec divers objets que tu n'aurais pas encore utilisés comme une ficelle, du papier d'aluminium, etc.

Tes conclusions se vérifient-elles encore ?

Et quelles sont parmi ces objets, les substances qui conduisent l'électricité ?

67

3 PLAN ET ÉCHELLE

Pouvoir s'orienter est le problème commun aux explorateurs et aux architectes. Les jeux suivants te permettront d'évoluer dans une carte géographique tout aussi facilement qu'un capitaine au long cours et de lire un plan à l'échelle avec autant de précision qu'un bâtisseur.

TOUS LES CHEMINS MÈNENT À L'ÉCOLE

Si ton école se trouve près de chez toi, tu y vas sûrement à pied ou en bicyclette et, dans le cas contraire, tu t'y rends en autobus. De toute façon, il est presque certain que tu suis toujours le même chemin. Pourtant, il en existe bien d'autres et tu pourrais les découvrir en faisant le plan de ton quartier.

Si la distance est assez grande, mets tes camarades dans le coup et partagez-vous le quartier. Partez avec une tablette de papier et un crayon, et observez bien le tracé des rues que vous suivrez. Au fur et à mesure que vous longez une rue, reportez-la sur une feuille de papier en essayant de respecter les distances et en n'oubliant pas d'inscrire son nom.

Une fois que toutes les équipes sont de retour, reconstituez la carte du quartier en entier sur un grand carton, par exemple.

Il s'agit maintenant de vérifier si vous n'avez rien oublié : rues, noms, intersections. Cela peut se faire en suivant de nouveau les parcours ou en vous procurant une carte de la ville (dans une station-service) et en y repérant ton quartier. Tu procèdes de la même façon que pour une carte routière ; si tu ne t'en souviens pas, va voir le jeu *Les Voyages*.

Et s'il pleut beaucoup au cours des jours suivants, pourquoi ne pas transformer ton plan en maquette du quartier ?

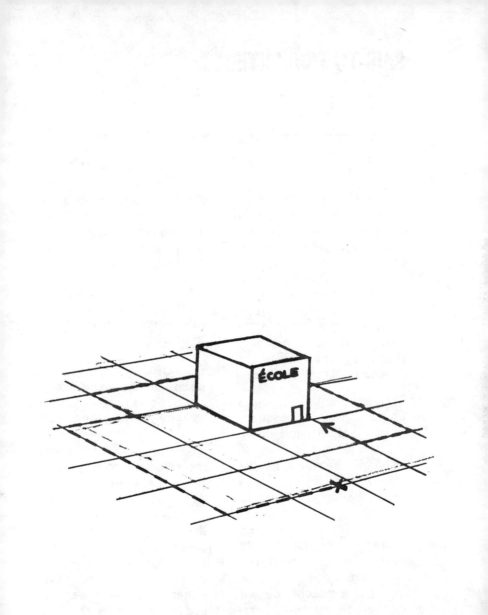

SAIS-TU T'ORIENTER

As-tu déjà joué à colin-maillard ? C'est un jeu d'équipe très amusant : on bande les yeux à quelqu'un, on le fait tourner quelques fois sur lui-même et il doit ensuite tâcher d'attraper un autre membre du groupe et de l'identifier au toucher, sans regarder sous le bandeau.

Savoir s'orienter ressemble un peu à ça. Pour ce jeu, tu as besoin d'un « collègue ». Vous pourrez passer le test à tour de rôle. Choisissez un endroit que vous connaissez bien comme la cour de l'école ou le terrain de jeux. Ton camarade te bande les yeux et te donne ensuite des instructions : « Fais trois pas à gauche, cinq à droite, recule de deux, etc. » Au bout d'un petit moment, vous arrêtez et tu dois essayer de trouver où tu es, avant d'enlever ton bandeau.

Vous pourrez recommencer le test plusieurs fois, parce qu'il n'est pas très facile.

Si tu as une boussole, essayez de nouveau, mais en indiquant les points cardinaux. Où est le nord?

Voici un autre problème intéressant. Regarde le schéma ci-contre et tâche de trouver la réponse à cette question : pour aller à l'école, Paul emprunte les rues qui vont vers l'est et le nord. Combien de chemins pourra-t-il suivre sans jamais se diriger vers le sud ou vers l'ouest ?

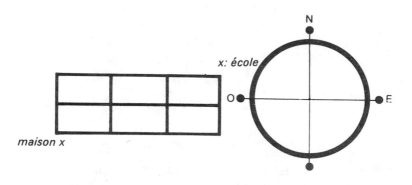

maison x

x: école

N
O · · E

Tu vas à l'école, tu vas sûrement à l'épicerie de temps en temps, tu rends visite à tes camarades, bref tu fais plusieurs trajets tous les jours. Peux-tu les tracer de mémoire sur un papier ?

Une fois que tu as terminé tes plans, indique par des flèches les rues où tu tournes à gauche et celles où tu prends à droite. Ajoute également le nom de toutes celles dont tu te souviens. Vérifie bien si tu n'as rien oublié.

Tu peux aussi te servir du plan de ton quartier (regarde au jeu précédent, *Tous les chemins mènent à l'école*).

73

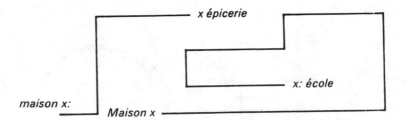

x épicerie

x: école

maison x:

Maison x

On indique toujours le nord sur une carte géographique. Tu dois donc en faire autant sur la tienne. Pour cela, rends-toi à l'une des rues de ton plan, oriente ta carte d'après celle-ci et sers-toi de ta boussole pour indiquer le nord. Tu la déposes sur ta carte et tu traces dans la marge supérieure une flèche qui va dans le même sens que l'aiguille magnétique :

Ah oui ! j'allais oublier la solution au problème de Paul : eh bien, celui-ci peut emprunter dix chemins différents. Les avais-tu tous trouvés ?

NORD

ou

NORD

L'ARCHITECTE AU TRAVAIL

Que dirais-tu, aujourd'hui, de faire le plan d'un étage de ta maison ? Pour cela, il te faudra un mètre ou un ruban à mesurer, du papier quadrillé, une règle de 30 cm, un crayon et, si tu en as envie, un associé.

Commence d'abord par noter combien il y a de pièces sur l'étage en question et prépare-toi une fiche du genre de celle-ci :

Pour trouver les dimensions, tu dois mesurer chacun des côtés d'une pièce et les noter. C'est là que ton associé pourra t'être utile, soit en tenant l'extrémité du ruban à mesurer, soit en se chargeant de la moitié de la pièce si vous avez chacun un mètre.

La maison où je vis — 5 pièces	
Pièces	**Dimensions**
Chambre parents	3 m x 4,5 m
Chambre François	
Salle de bains	
Ma chambre	

Tu peux également noter les dimensions de la façon suivante, si tu crains d'oublier quel côté est plus grand que l'autre :

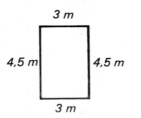

3 m

4,5 m   4,5 m

3 m

Tu vas vite t'apercevoir que toutes les pièces ne sont pas carrées ou rectangulaires, c'est-à-dire qu'elles sont de forme irrégulière. Dans ce cas, sers-toi de ton papier quadrillé.

Décide d'abord de ton échelle : le côté d'un carreau pourra représenter un mètre dans la réalité. Et comme tous les carreaux sont carrés, chaque côté représentera alors un mètre. (Ça, c'est une vérité de La Palice... sais-tu qui c'était ?) Mais soyons

sérieux. Ton échelle te donne :

1 côté = 1 mètre

Par contre, tu peux décider que deux côtés représentent un mètre :

2 côtés = 1 mètre

Ensuite, tu dois reproduire chaque pièce sur ta feuille quadrillée en respectant l'échelle. Cela veut dire que pour une pièce mesurant 3 x 4,5 m et pour une échelle:

1 côté = 1 mètre,

ton dessin sera comme ça :

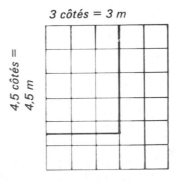

3 côtés = 3 m

4,5 côtés = 4,5 m

77

Chez moi, les pièces sont presque toutes irrégulières. Il y en a une qui est comme ça :

échelle: 1 côté = 1 mètre

Peux-tu trouver ses dimensions? Regarde bien sa forme et n'oublie pas l'échelle.

Quand tu as terminé de mesurer toutes les pièces de l'étage, découpe tes plans et dispose-les sur une grande feuille. Attention: je suis sûr que tu allais oublier les couloirs. Est-ce que tout est complet? Vérifie soigneusement. Si ça va, colle tous tes éléments, indique l'échelle et termine ton plan en marquant l'emplacement des portes et des fenêtres.

Maintenant, cache un message dans l'une des pièces, indique l'endroit sur ton plan par une petite croix et envoie ton associé le chercher.

Sais-tu que ton plan peut servir à beaucoup de choses? Par exemple, si tu as un ami qui habite dans une autre ville ou un autre pays, tu peux le lui envoyer pour qu'il connaisse mieux la maison où tu vis. Dans ce cas, dessine les meubles et colorie-les, ce sera très joli.

Un autre exemple: tu as envie de changer un peu ta chambre et tes parents sont d'accord. Pour éviter de déplacer les meubles jusqu'à ce que tu sois satisfait du résultat, tu peux les dessiner sur du papier, les découper et les déménager sur ton plan. Ce sera infiniment moins fatigant!

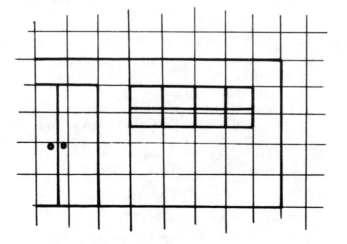

79

LE DESSINATEUR INDUSTRIEL

Après avoir joué à l'architecte, tu pourrais maintenant devenir pour quelques heures un dessinateur industriel. Ces deux métiers sont proches l'un de l'autre, dans la mesure où il s'agit de dessiner des plans.

Avec le jeu précédent, tu t'es fait la main avec un étage de ta maison. Cette fois-ci, on voit beaucoup plus grand: il s'agit de faire le plan d'un étage de ton école ou du centre de loisirs.

La première chose à faire, c'est d'obtenir l'autorisation de ton professeur ou de l'animateur du centre. Ensuite, tu t'armes d'une ficelle, d'un mètre, d'une règle de 30 cm, d'une équerre (tes angles devront être parfaitement droits), d'un crayon à dessin, de papier quadrillé pour relever tes mesures et, enfin, d'une grande feuille. Ouf!

Avant de passer à l'action, tu dois tout de même résoudre quelques questions:

— Quel étage choisis-tu?

— Par quoi vas-tu commencer?

— N'oublie pas qu'il y a d'autres pièces que ta classe ou la salle de jeux.

— Crois-tu que ta feuille est assez grande pour tout

ce que tu auras à tracer? Tu devras peut-être en coller deux ensemble.

— Il y a aussi les corridors.

— Et les placards à balais, la salle où on range l'équipement de sport, la salle de bains. As-tu pensé à tout?

Quand tu as bien visité tous les coins et recoins, mets-toi à l'oeuvre. Trace ton plan au crayon sur ta grande feuille. N'oublie pas que tu disposes d'une règle et d'une équerre.

Une fois que tu as terminé, montre ton plan à tes camarades pour savoir ce qu'ils en pensent.

Est-il précis? Tes mesures correspondent-elles à la réalité? Et toutes les pièces sont elles représentées?

Tu peux conserver ton plan tracé à main levée ou le reprendre à l'échelle sur du papier quadrillé.

Il existe bien d'autres méthodes pour tracer le plan d'une maison. Tâche de te renseigner auprès de spécialistes comme les architectes, les menuisiers, les dessinateurs. Ils te donneront sûrement de bons conseils.

Et, pour terminer ce jeu en beauté, as-tu pensé à faire une maquette?

4 L'HOMME

Mieux connaître le monde où tu vis, engager un dialogue avec tout ce qui t'entoure, voilà ce qui t'est proposé dans les prochaines pages.

Tant de découvertes merveilleuses, juste à la portée de tes yeux et de tes mains, sans que tu ne t'en sois jamais rendu compte!

Observe, touche, mesure ton monde et profite de l'occasion pour te connaître toi-même.

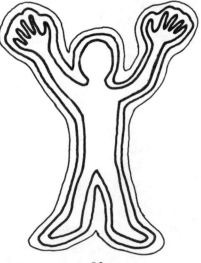

LE VOLUME DE TES POUMONS

La respiration comporte deux mouvements: l'aspiration (ou inspiration) pour remplir les poumons d'air et l'expiration pour l'en expulser. Tout le monde n'aspire pas la même quantité d'air. C'est d'abord une question de taille; un enfant n'a pas la même capacité respiratoire qu'un adulte. C'est aussi bien souvent une question de santé: les personnes qui fument abîment gravement leurs poumons et, par conséquent, ne peuvent pas respirer aussi profondément que celles qui font de l'exercice et prennent soin de rester en bonne santé.

Aspire profondément, puis expire lentement. Recommence quelques fois. Est-ce que tu sens ce qui se passe en toi? Chaque fois que tu inspires, tes poumons se remplissent d'air. Veux-tu savoir comment mesurer ce volume d'air? Il faut d'abord t'équiper.

MATÉRIEL
- *un pot calibré avec couvercle, (par exemple un gros pot de jus d'orange)*
- *un tube flexible (un tuyau en caoutchouc)*
- *deux petits blocs qui ne flottent pas (6 x 2 x 2 cm)*
- *une grande cuvette*
- *de l'eau*
- *crayon gras*
- *tasse à mesurer*
- *diachylon*

Expériences

La première étape consiste à calibrer ton gros pot de jus d'orange. Pour cela, tu prends une tasse à mesurer, tu la remplis avec 100 ml d'eau que tu verses dans ton pot et tu te fais une marque avec un crayon gras ou un morceau de diachylon. N'oublie pas d'inscrire à côté de chaque marque à quoi elle correspond: 100 ml, 200 ml, etc. Tu continues comme ça jusqu'à ce que le pot soit plein ou jusqu'à ce que tu aies calibré 2 270 ml, ce qui te permettra de faire participer tes parents à l'expérience.

Maintenant, remplis la cuvette d'eau, mais seulement à moitié. Pour éviter d'inonder toute la cuisine, il vaudrait mieux que tu la déposes vide sur la table, puis que tu la remplisses peu à peu avec une cruche ou un autre contenant.

Dépose ton pot à l'envers dans la cuvette, sur les blocs, et ensuite seulement tu retires le couvercle sous l'eau. De cette façon, tu seras sûr que l'air ne pénétrera pas dans le pot.

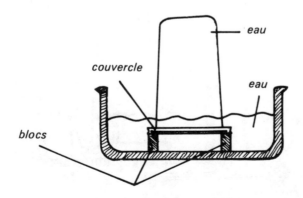

Figure 1

85

Lorsque tu as terminé tous ces préparatifs, tu es prêt à mesurer ta capacité respiratoire.

Prends ton tube en caoutchouc, fais-le glisser à l'intérieur du pot calibré, sous l'eau, puis souffle avec force, mais sans exagération. Il est inutile de tout asperger autour de toi. D'ailleurs, pour éviter les accidents, ce serait une bonne chose que quelqu'un maintienne le pot pendant que tu fais ton expérience.

Donc, tu as soufflé dans ton tube. Que remarques-tu?

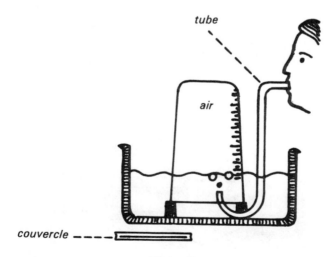

Figure 2

Garde un papier et un crayon à portée de la main et note ce que tu observes. Comme ton pot est gradué, tu n'auras aucun problème. Il est calibré en millilitres, mais les volumes d'air se mesurent généralement en *centimètres cubes* (cc). Cela ne change rien à tes résultats puisqu'on considère qu'un millilitre équivaut à un centimètre cube. Cela veut dire que si tu lis 500 millilitres sur ton pot, ton volume d'air est de 500 centimètres cubes (cc).

Recommence l'expérience en variant la profondeur de ta respiration. N'oublie pas que tu dois, chaque fois, remplir ton pot et le boucher avant de le déposer dans la cuvette.

Invite tes camarades à mesurer le volume d'air qu'ils peuvent aspirer. Ensuite, essayez de voir qui peut souffler le plus gros ballon (sans le faire éclater!) en mesurant le volume d'air qu'il contiendra. As-tu compris comment tu devras procéder? As-tu d'autres idées?

UNE QUESTION DE VIE

On dit souvent que, dans les grandes villes, l'air est pollué. Crois-tu que cela nuit beaucoup à la santé des citadins ou pas trop? Et, à ton avis, les enfants qui vivent à la campagne sont-ils en meilleure forme que ceux qui habitent dans une ville? Une bonne façon de le savoir serait de faire un test de comparaison: *une course à pied,* puisque cela demande de bonnes jambes, du souffle et une bonne condition physique.

Tout d'abord, réunis des camarades de ton âge et propose-leur de collaborer, puisque tu ne peux pas faire une course tout seul! Ensuite, choisis un terrain pavé pour la piste. Il reste maintenant à décider des règles que vous observerez, à préparer les fiches d'observation (inspire-toi du modèle ci-dessous), et enfin à mesurer la longueur de la piste en indiquant très clairement la ligne de départ et celle d'arrivée. Emprunte un chronomètre pour pouvoir mesurer le temps de chaque concurrent.

Nom: _____ Âge: _____
Ville: _____ Campagne: _____
Garçon: _____ Fille: _____
60 mètres en _____ secondes
Juge de l'épreuve: _____

La piste aura 30 mètres de long. Pour l'établir, prends une corde de 3 mètres, étale-là par terre et recommence dix fois. Cela te donnera donc une longueur de 30 mètres.

Comme chaque concurrent devra courir cette distance aller-retour, cela fera un total de 60 mètres.

Si toi et tes camarades choisissez un juge d'épreuve qui s'occupera de chronométrer les parcours et de remplir les fiches, cela vous permettra de vous concentrer totalement sur la course.

Après la course, construis un tableau de données à partir des résultats.

Il s'agit maintenant de compléter cette expérience en y faisant participer des enfants qui habitent à la campagne ou dans de petites villes où l'air est moins pollué. Si tu n'as pas d'amis ou de cousins qui répondent à cette condition, demande à tes camarades ou à tes voisins. Tu trouveras sûrement.

Une fois que tu as obtenu l'adresse d'un correspondant, écris-lui pour lui expliquer ce dont il s'agit et pour lui demander s'il veut bien collaborer à l'expérience avec d'autres enfants de sa région. Communique-lui les règlements que tu as suivis avec ton groupe afin qu'ils soient les mêmes pour tout le monde et insiste pour que tous les concurrents remplissent une fiche comme la vôtre.

Tu devras probablement attendre quelques semaines avant de recevoir les résultats.

Dès que tu les as en main, construis un second tableau de données pour ce second groupe (ainsi que pour tous les autres que tu auras pu rejoindre). Ensuite, tu le compares avec le premier tableau et tu établis des histogrammes en tenant compte des différentes variables (une variable, c'est tout ce qui peut influencer le résultat d'une mesure):

— le sexe

— l'âge

— la ville ou la campagne

— en vois-tu d'autres?

À propos de l'âge, tu devras éliminer les fiches d'enfants plus jeunes ou plus vieux que ceux de ton groupe, s'il n'y en a que deux ou trois pour chaque cas. Ça, c'est parce que tu ne peux pas tirer de conclusions valables avec seulement deux ou trois fiches d'enfants de onze ans, par exemple.

Qu'est-ce que tu penses des résultats? Qu'est-ce qu'ils prouvent? Y a-t-il des différences importantes ou bien est-ce que tout le monde est à peu près au même niveau?

Lorsque tu auras terminé ton analyse en compagnie de tes camarades, n'oublie pas d'écrire à tous ceux de l'extérieur qui auront participé à l'expérience, pour les remercier et pour leur faire connaître les résultats.

COMPÉTITION OLYMPIQUE

Est-ce que tu te souviens des jeux olympiques? Peut-être même les as-tu regardés à la télévision? Aurais-tu envie d'organiser, avec tes camarades, une compétition du même genre? Vous devrez être au moins une dizaine, dans ce cas.

Voici comment tu dois procéder. Réunis d'abord tous ceux qui ont envie de participer et décidez du genre d'épreuve. Prenons comme exemple le *saut en longueur à pieds joints.* Déterminez les règles de participation et préparez ensemble un tableau ou, ce qui est mieux, des fiches comportant tous les renseignements que vous jugerez utiles.

TABLEAU

nom	âge	garçon ou fille	saut
Alain Giroux	10 ans	garçon	
Lise Perron	9 ans	fille	

FICHE

nom: Alain Giroux	Garçon: X Fille:
âge: 10 ans	
taille: 1m 52cm 60 ¼" (environ)	saut:

Le jour de l'épreuve, réunissez-vous dans un endroit dont le sol est dur comme une cour d'école ou un gymnase. N'oubliez pas d'apporter un mètre ou un ruban à mesurer. Avec une craie, trace une ligne sur le sol. Les participants devront placer le bout de leurs pieds contre cette ligne, et c'est de là qu'ils sauteront.

Chacun aura droit à un saut d'essai et devra tâcher de franchir à pieds joints la plus grande distance possible. Le point d'arrivée, pour calculer la longueur du saut, est celui où touche l'arrière du talon qui est le moins éloigné de la ligne de départ (regarde la figure).

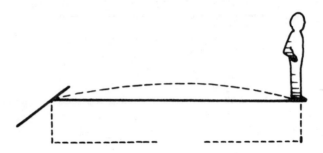

Au fur et à mesure que les concurrents sautent, tu inscris les résultats sur ton tableau ou sur la fiche correspondante, dans la case marquée « saut ».

Lorsque tu as les résultats de tout le monde, as-tu l'impression que cela te renseigne sur la distance que peuvent sauter à pieds joints des enfants de neuf ou dix ans?

Crois-tu que les concurrents étaient suffisamment nombreux pour que tes conclusions soient valables?

Que penses-tu de l'influence des divers facteurs sur les résultats? Par exemple, *les garçons sautent-ils plus loin que les filles, les grands et les maigres ont-ils mieux réussi que les petits et les gros? L'âge a-t-il eu une influence?*

Si tu voulais faire une enquête sur ces questions, comment choisirais-tu les participants? Et que ferais-tu des autres?

Crois-tu que d'autres facteurs, auxquels tu n'aurais pas encore pensé, auront pu modifier les résultats? Tes camarades, qu'en pensent-ils?

Si vous choisissez une autre épreuve pour une prochaine fois, devras-tu changer de types de renseignements, conserver les mêmes, en ajouter ou en supprimer?

LA TÊTE DES AUTRES

T'es-tu déjà demandé quelle était la couleur de cheveux la plus courante? Ne réponds pas au hasard parce qu'un bon statisticien s'appuie sur des preuves solides et que si tu disais « brun », par exemple, cela montrerait que tu n'as pas pensé à la couleur châtain ou aux nuances du brun.

Si cette forme d'enquête t'intéresse, procure-toi, chez un coiffeur ou dans une pharmacie, cette carte de couleurs:

Carte guide-couleur	
roux:	*3 teintes dégradées*
blond:	*3 teintes dégradées*
châtain:	*3 teintes dégradées*
brun:	*3 teintes dégradées*
noir:	*3 teintes dégradées*

Examine bien ce guide parce qu'il va te servir de critère de comparaison tout au long de ton enquête.

Prépare tes fiches, en t'inspirant du modèle suivant:

Nom	Âge	Sexe	Couleur des cheveux

Maintenant, choisis dix de tes camarades et remplis une fiche pour chacun en consultant chaque fois ton guide lorsque tu n'es pas certain de la teinte. Le plus simple, c'est de l'approcher de la tête de ton camarade.

Regarde tes fiches; trouves-tu que cet échan-tillon te renseigne suffisamment?

Essaye de reprendre cette enquête auprès de vingt autres enfants.

Quand tu auras recueilli toutes tes données, regroupe-les dans un tableau:

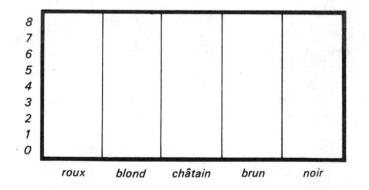

Tu connais maintenant la couleur de cheveux la plus courante chez les enfants. Mais si tu avais fait ton enquête auprès d'adultes, aurais-tu obtenu des renseignements semblables? Pourquoi ne pas vérifier en te faisant aider par tes camarades? À vous tous, vous pourrez sûrement enregistrer la couleur de cheveux de trente adultes.

Ici, toutefois, il faut faire attention parce que certaines personnes se *teignent* les cheveux (et pas seulement les femmes!). Vas-tu modifier la nature de ton enquête en conséquence en rajoutant une section pour ces personnes, ou préfères-tu continuer comme tu avais commencé? Dans ce cas, tu dois éliminer ces « sujets » et les remplacer par d'autres.

Lorsque tu auras terminé ton enquête, tu auras soixante fiches en ta possession. As-tu l'intention de refaire un nouveau tableau des données? Quels résultats obtiendrais-tu? La couleur dominante, c'est-à-dire la plus fréquente, sera-t-elle la même?

Tu pourras aussi cons-
truire des histogrammes
pour illustrer tes résultats:

**Histogramme de la couleur des cheveux
des enfants de 9 ans**

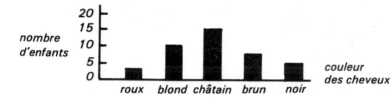

Si tu recommençais ton
enquête dans une autre ville, serais-tu capable d'en
prédire les résultats?

LA COULEUR DES CHEVEUX

De quelle couleur sont tes cheveux? Roux, blonds, bruns ou noirs? Sais-tu pourquoi? Si tu poses la question à tes parents, ils te répondront certainement que ce sont eux les grands responsables: « C'est héréditaire », te diront-ils.

As-tu déjà lu quelque chose sur l'hérédité? L'histoire du voyage de Darwin aux îles Galapagos, par exemple? Essaye de la trouver à la bibliothèque de ton quartier ou de ton école. C'est très intéressant et cela t'aidera en cette nouvelle enquête que nous te proposons de faire.

Comme il s'agit d'une enquête très grande, il serait bon que tu te fasses aider par tes amis et tes camarades d'école.

Tout d'abord, divise la couleur des cheveux en quatre catégories, seulement:

Roux	Blond	Brun	·Noir

Pour te retrouver dans toutes les nuances, procure-toi, si tu ne l'as pas déjà, la carte guide-couleur dont nous parlions au jeu précédent, *La tête des autres*. Tu en trouveras des exemplaires dans les pharmacies ou chez les coiffeurs.

Invente un code pour identifier les couleurs, comme celui-ci, si tu veux :

Prépare ensuite des fiches d'enregistrement des résultats :

Code	
Roux	R
Blond	BL
Brun	BR
Noir	N

LA COULEUR DES CHEVEUX ET L'HÉRÉDITÉ

Nom : Famille L'Heureux	nombre d'enfants : 5
couleur des cheveux des parents	couleur des cheveux des enfants
	Louis : BR
père : BR	Martine : BL Marc : BR
mère : BL	Claude : BR Michèle : BL

N'oublie pas de te faire aider par tes amis, sinon tu risquerais vite d'en avoir assez parce qu'il te faudra suffisamment de fiches pour interroger une centaine de familles. Eh oui! une centaine! L'hérédité est une question assez compliquée et il te faudra beaucoup d'informations si tu veux obtenir des résultats valables. Remarque, si vous vous mettez ensemble avec tous tes amis, ce sera beaucoup moins long que ça n'en a l'air, tout d'abord. Et vous aurez peut-être l'impression de jouer au détective!

Tout comme pour le jeu précédent, tu rencontreras des personnes qui se teignent les cheveux. *Élimine-les* parce que cela n'a rien à voir avec l'hérédité et tous tes résultats s'en trouveraient faussés. Malgré tout, tu peux leur demander quelle est leur couleur naturelle et si elles hésitent sur la nuance, montre-leur ton guide des couleurs. Mais il faudra alors qu'elles soient certaines de leur réponse pour que tu les inclus dans ton enquête.

Dès que tu auras accumulé un assez bon nombre de renseignements, commence à noter tes résultats sur une fiche de compilation:

FICHE DE COMPILATION DES RÉSULTATS
LA COULEUR DES CHEVEUX ET L'HÉRÉDITÉ

couleur des cheveux des parents	nombre de familles	couleur des cheveux des enfants	nombre d'enfants ayant des cheveux BR, BL, N, R		couleur qui revient le plus souvent
BR + N	5	BR BR BR BR BR BR BR BR BR BL BL BL BL N N N N N	9 BR 5 N	4 BL 0 R	BRUN
N + BL	4	N N N N N N N BR BR BR BR BL	7 N 1 BL	4 BR 0 R	NOIR

Réfléchis bien aux résultats que tu as obtenus.

Supposons que, dans une famille, les parents ont tous les deux les cheveux noirs. De quelle couleur seront ceux de leurs enfants?

Sur la fiche de compilation présentée comme modèle, on voit qu'il y a des parents qui ont l'un les cheveux *noirs,* l'autre les cheveux *bruns.* Pourquoi n'observe-t-on pas seulement des enfants aux cheveux bruns?

Est-ce que la couleur des cheveux peut dépendre des grands-parents, à ton avis?

Pourquoi ne pas faire une nouvelle enquête à partir, justement, des grands-parents? Tu pourrais consulter ceux des familles que tu as déjà interrogées. Comme ça, tu aurais déjà les deux tiers du travail de fait. Est-ce que ça modifierait tes conclusions? Vérifie.

LA BICYCLETTE

Aimes-tu la bicyclette? Et tes amis? T'es-tu déjà demandé s'il y a autant de filles que de garçons qui sont capables d'aller en bicyclette ou bien si la différence est prononcée? Te voilà avec un nouveau sujet d'enquête.

Tu as déjà l'habitude de préparer des fiches. Regarde le modèle suivant et ajoutes-y les autres informations dont tu penses avoir besoin. Maintenant, fais-en beaucoup parce que, comme dans le cas de l'enquête sur l'hérédité à partir de la couleur des cheveux, tu devras interroger une centaine d'enfants. Évidemment, tu appelleras, une fois encore, tous tes amis à la rescousse. Plus tu auras de fiches, plus tes conclusions seront intéressantes.

Prénom: _____ *Nom:* _____

Âge: _____ *Garçon:* _____ *Fille:* _____

Nombre d'enfants dans ta famille: _____

Sais-tu aller en bicyclette: *oui:* _____ *non:* _____

Possèdes-tu une bicyclette: *oui:* _____ *non:* _____

Même si tu dois interviewer beaucoup d'enfants, essaye de te *limiter* à ceux dont l'âge varie entre huit et douze ans. Ce sera moins difficile pour tes calculs quand tu examineras les résultats.

Quand ton enquête est terminée et que tout le monde t'a rapporté les fiches, divise celles-ci en deux paquets : l'un pour les filles et l'autre pour les garçons.

Compte le nombre de filles qui savent aller en bicyclette, puis le nombre de garçons. Cela te donne une première conclusion.

Maintenant, il ne s'agit peut-être pas seulement d'une question de sexe. Alors pousse ton analyse plus loin et examine d'autres facteurs : le nombre d'enfants dans la famille, le fait de savoir ou non aller en bicyclette, celui d'en avoir une à soi, etc.

Lorsque tu as trouvé des résultats pour tous ces éléments, tâche de répondre à ces questions:

— Parmi les conducteurs de bicyclette, les enfants uniques sont-ils les plus nombreux?

— Est-ce que le fait d'avoir une bicyclette à soi influence les résultats?

— L'âge (entre huit et douze ans) a-t-il de l'importance?

Cherche encore d'autres sujets d'analyse, comme celui-ci: y a-t-il plus de filles uniques qui ont une bicyclette que de garçons venant de familles nombreuses?

N'oublie pas de communiquer tes résultats à tes camarades. Cela les intéressera sûrement. Et pense à faire un histogramme.

Fiche de compilation						
nom	âge	sexe	nombre d'enfants dans la famille	possède une bicyclette	ne possède pas de bicyclette	etc.

LES PRÉCIPITATIONS

En hiver, on entend souvent un météorologiste annoncer, à la radio ou à la télévision, qu'il va tomber, le lendemain, quinze centimètres de neige. Ou bien cinq, etc. As-tu déjà pensé à vérifier pour voir s'il ne se trompait pas? Ce nouveau jeu te permettra de faire des découvertes inattendues. Voici la liste de tout ce dont tu auras besoin.

MATÉRIEL
- *récipients*
- *papier quadrillé*
- *balance*
- *masses marquées*
- *cylindre gradué*
- *de bonnes moufles*
- *et de la neige!*

Expériences

La première chose que tu dois faire, c'est, bien entendu, de recueillir, à volume égal, des échantillons des différentes sortes de neige. C'est pourquoi tu auras besoin de récipients. Tu t'apercevras, ce faisant, que la neige n'est pas toujours la même. Par exemple, la neige folle est légère et ne donne pas beaucoup d'eau en fondant, tandis que la neige lourde est collante (c'est la meilleure pour les batailles de boules de neige) et elle donne beaucoup d'eau quand on la fait fondre. (Quand c'est le soleil qui s'en charge, on patauge dans la gadoue.)

Ramasse un volume donné de toutes les sortes de neige que tu pourras identifier. Pour cela, il serait bon que tu te documentes un petit peu avant. Tu pourrais aussi essayer de rencontrer un météorologiste; il fait un métier passionnant. Ensuite, fais fondre chacun de tes échantillons dans des récipients différents et n'oublie pas de les identifier. Tu dois trouver la masse et le volume de l'eau produite par la fusion de chacun.

Établis des histogrammes pour illustrer tes résultats. Trouve d'autres idées d'analyse et poursuis tes expériences.

As-tu déjà songé à examiner des flocons de neige? Pour cela, il te faut un petit carré de velours noir et une bonne loupe. Examine-les dehors, quand il fait un beau soleil et que la température est assez froide, afin de pouvoir prendre tout ton temps avant qu'ils ne fondent.

Trouves-tu des ressemblances? Lesquelles? Pourquoi ne pas en profiter pour les dessiner pendant que tu les as sous les yeux? Tu pourrais ensuite afficher tes dessins dans ta chambre. Les flocons diffèrent-ils beaucoup de formes selon la sorte de neige?

Documente-toi si tu en as envie. Ensuite, pourrais-tu dire s'il y a un rapport entre la pluie et la neige? Après tout, on parle bien d'averses de neige ou de neige pluvieuse. Comprends-tu pourquoi, maintenant?

NOS INSECTES

Il est inutile de te présenter les insectes puisque, du moustique au papillon en passant par la coccinelle, tu en connais déjà beaucoup. Mais, en fait, à moins que tu n'aies entrepris une collection, tu les connais à peu près de la même façon qu'on connaît un voisin qui habite à l'autre bout de la rue: de vue.

Avec ce nouveau jeu, nous te proposons de faire plus ample connaissance avec quelques-uns d'entre eux, selon ton choix.

MATÉRIEL
● *bocaux vides aux couvercles percés pour laisser passer l'air*

● *filet à papillon*
● *loupe*
● *microscope*
● *épingles droites et planchette à papillon*
● *insecticide*

La chasse aux insectes

Comme tu viens de le voir, il te faut certaines choses que tu n'as pas forcément chez toi. Dans le cas du microscope, tu pourras sûrement examiner tes insectes à l'école, au centre des loisirs s'ils en ont un, ou encore trouve l'adresse d'un club de jeunes entomologistes. Quant à la planchette à papillon, regarde bien le modèle et demande à tes parents de t'aider.

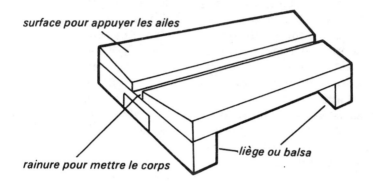

surface pour appuyer les ailes

rainure pour mettre le corps

liège ou balsa

Décide d'abord des catégories d'insectes que tu veux examiner. Voudras-tu les garder en vie quelque temps pour observer leur comportement (comme des chenilles jusqu'à ce qu'elles se transforment en papillon), ou préfères-tu les examiner quand ils sont morts afin de pouvoir les dessiner et les étudier attentivement du point de vue anatomique?

De toute façon, tu feras bien de te munir de bocaux, d'un petit sac à dos ou autre pour transporter ceux-ci, et d'un filet à papillon. Regarde bien autour de toi : sous les roches, dans les sous-bois, sur les écorces des arbres, par terre, tu en trouveras facilement partout.

En fait, *la difficulté sera de ne pas trop t'éparpiller*. Il est préférable que tu reviennes avec une petite récolte et que tu approfondisses bien tes connaissances, plutôt qu'avec une multitude de variétés et que tu abandonnes avant d'avoir fini. Alors, si tu choisis, disons, les fourmis, les coccinelles et les vers de terre, ne change pas d'idée en cours de route, sauf si tu reviens les mains aussi vides qu'un pêcheur du dimanche.

Dans le cas des insectes morts, note toutes tes observations et dessine-les le plus fidèlement possible. Sers-toi de ta loupe et, si possible, d'un microscope pour bien étudier les pattes, les antennes, les ailes, la bouche, les yeux, etc. Emprunte des livres à la bibliothèque si tu as envie d'apprendre les grandes divisions.

D'autre part, si tu veux les garder vivants un certain temps, tu dois te renseigner sur ce qu'il faut leur donner à manger, à boire, etc.

En passant, voici un remède infaillible si tu te fais piquer par une guêpe ou une abeille: recouvre immédiatement la piqûre d'une petite motte de terre mouillée. C'est instantané: non seulement tu n'as plus mal, mais l'enflure disparaît sur-le-champ. Tu n'en croiras pas tes yeux.

Pense à tout ce que tu peux apprendre avec ce jeu: la métamorphose, par exemple. Certains insectes n'en subissent pas et chez d'autres, elle est incomplète. Par contre, tu sais que c'est la chenille qui se transforme un jour en papillon. Et là, la métamorphose est totale.

Est-ce que cette expérience te donne le goût de faire une enquête sur les oiseaux? ou les poissons? Réfléchis à ce que tu veux savoir et repars en chasse.

5 LES PLANTES

Toi aussi, comme le Petit Prince sur sa planète, tu pourras faire pousser la fleur et la voir grandir en l'arrosant et en la protégeant contre les intempéries. Avec beaucoup d'amour, un peu de patience, un peu d'eau, du soleil et de la bonne terre, tu seras très surpris de voir tout ce qui peut sortir d'une petite graine.

LES CONIFÈRES DU QUÉBEC

Tu sais qu'au Québec il y a beaucoup d'espèces de conifères, ces arbres qui ont des aiguilles et qui sont toujours verts (c'est pourquoi on les appelle à *feuilles persistantes*), et surtout qui font de si beaux arbres de Noël.

Si tu fouilles dans les livres, si tu te promènes

dans la montagne ou simplement dans ton quartier, tu pourras en découvrir de nombreuses espèces en très peu de temps.

Mais en ne faisant que les regarder comme ça, tu n'iras pas très loin. Voici donc une méthode qui te permettra d'en apprendre davantage sur ces arbres dont le contraste avec les arbres à *feuillage caduc* (qui perdent leurs feuilles) nous fait des automnes superbes.

Trouve, tout d'abord, le nombre des espèces de conifères que l'on peut rencontrer au Québec et prends des notes sur leurs caractéristiques.

Lors de tes promenades, rapporte des branches que tu pourras examiner tranquillement à la maison. Mais *attention :* si ton spécimen pousse dans un jardin, demande *toujours* la permission.

Deuxièmement, ne coupe *jamais* un bourgeon de tête, c'est-à-dire celui qui est à l'extrémité de la branche. Sinon, toute la croissance de l'arbre s'en trouverait déformée.

Troisièmement, ne casse *jamais* une branche (et choisis-la la plus petite possible): les arbres peuvent souffrir tout comme nous des mauvais traitements. Avec un couteau bien aiguisé et en faisant attention à ne pas te couper, tranche ta petite branche à l'endroit où elle est fixée à la branche principale, c'est-à-dire à son point de jonction, et en suivant son inclinaison. Ensuite, pour éviter qu'il y ait une « hémorragie » de la sève, applique un peu de terre humide sur la coupure. Cela accélérera la cicatrisation. Évite surtout de laisser une déchirure en dents de scie, les microbes y pénètrent plus facilement et l'arbre serait infecté. Tu vois, les végétaux ont certains points communs avec nous. C'est surprenant, n'est-ce pas?

Après toutes ces recommandations, tu reviens chez toi avec tes échantillons. Colle-les sur des feuilles avec du ruban gommé et écris leur nom. Si tu veux un truc pour reconnaître rapidement le pin blanc du pin rouge, rappelle-toi que les aiguilles du pin blanc sont regroupées par *cinq* (comme les cinq lettres du mot «*blanc*») et que celles du pin rouge le sont par *deux* (comme les deux syllabes du mot «*rouge*»).

Maintenant, regarde bien les aiguilles:

— roulent-elles entre tes doigts?

— sont-elles plates?

— se rattachent-elles une par une à la branche?

— si elles sont en groupe, il y en a combien dans chacun?

As-tu pensé à ramasser les cônes de tes conifères (qu'on appelle aussi cocottes ou pommes de pin)? Vois-tu des différences selon les espèces?

Lorsque tu commences à reconnaître un peu mieux les espèces, promène-toi de nouveau pour voir celle qui est la plus populaire autour de chez toi. Même si tu habites en ville, tu la reconnaîtras sur les pelouses, dans les parcs, etc.

Comme chaque fois que tu fais une enquête, prépare des fiches et regroupe tes résultats dans des histogrammes.

Par exemple, inscris sur une fiche la liste de conifères que tu sais reconnaître et emporte-la avec toi quand tu vas te promener. Chaque fois que tu vois un sapin ou autre, fais une croix à côté de son nom. C'est comme ça que tu sauras quel conifère est le plus populaire autour de chez toi.

pins	x x x x
sapins	x x x x x x
épinettes	x x x x x x x x
etc...	

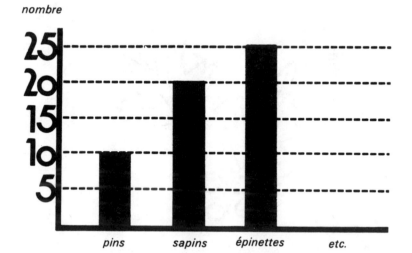

nombre

25
20
15
10
5

pins   sapins   épinettes   etc.

LES ARBRES À L'AUTOMNE

Si tu as fait le jeu précédent, *Les conifères du Québec,* tu sais maintenant la différence entre ce type d'arbres et les feuillus. Tu as déjà étudié les arbres qui ont des aiguilles, il te reste à voir ceux qui portent des feuilles.

Le meilleur moment pour récolter une abondante

variété de feuilles, c'est évidemment à l'automne. Ramasse autant de variétés que tu peux en trouver, en choisissant les plus belles au point de vue couleurs et les plus intactes. Laisse celles qui sont déchirées ou trouées par des insectes.

En même temps, dans un petit carnet, note tout de suite la date et l'endroit où tu les as trouvées, ainsi que le nom de l'arbre si tu le connais.

Il s'agit ensuite, lorsque tu seras rentré chez toi, de les faire sécher afin de les conserver le plus longtemps possible.

Pour cela, place chaque feuille bien à plat entre des feuilles de papier journal qui absorberont leur humidité. N'en mets jamais deux l'une sur

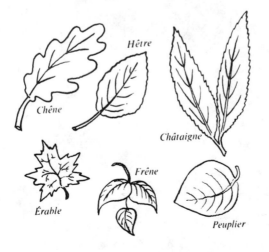

Hêtre

Chêne

Châtaigne

Frêne

Érable

Peuplier

127

l'autre. Ensuite, pour les empêcher de s'enrouler, dépose quelque chose de lourd par-dessus, comme des briques ou un annuaire téléphonique, ou encore un gros atlas.

Au bout de quelques jours, défais ton installation et dégage tes feuilles si elles sont bien sèches. Dans ce cas, manipule-les avec beaucoup de précautions pour éviter qu'elles ne s'é-miettent ou ne se fendillent, et colle-les avec du ruban gommé transparent sur des pages blanches.

Regarde-les attentivement et cherche dans des livres de botanique le nom des arbres dont elles proviennent. Écris-le au bas de chaque page.

Examine-les de nouveau, mais cette fois avec une loupe. Remarque tous les

détails: la texture, les ner-
vures, la forme. Sur une
autre page, dessine-les.

Tu peux aussi te faire des
fiches où tu inscriras,
après avoir fait des
recherches, l'endroit où
poussent les arbres dont tu
as ramassé les feuilles, la
source de ton information
(on appelle ça une
référence), enfin tout ce
qui te paraît utile, et tu
pourras compléter en des-
sinant la silhouette de
l'arbre ou de l'arbuste.

LES CHAMPIGNONS

Est-ce que tu connais les champignons? Dans ton assiette, sûrement, mais les as-tu déjà examinés dans la nature? Sais-tu qu'il en existe d'innombrables variétés qui ont toutes des formes aussi pittoresques les unes que les autres? Si le coeur t'en dit, lorsqu'il fait un beau soleil après plusieurs journées d'une pluie abondante, munis-toi d'une loupe, d'un bon couteau, d'un sac, d'une tablette à dessin avec crayons et gomme, et va te promener dans les parcs, la montagne ou les sous-bois. Tu seras sûr d'en trouver à profusion. Prends aussi avec toi un guide, comme les excellents livres de monsieur René Pomerleau (demande à la bibliothèque-que), afin de pouvoir les identifier.

ATTENTION: *Beaucoup de champignons sont vénéneux, c'est-à-dire qu'ils contiennent du POISON. Tu ne dois ni en manger, ni même en goûter un tout petit morceau. Et comme tu vas les manipuler, il serait préférable que tu mettes des gants ou que tu te laves les mains à fond avant de porter tes doigts à ta bouche.*

Ceci dit, partons en promenade. Regarde partout: sur les arbres ou à l'intérieur des grottes, dans les clairières, au milieu du gazon, enfin partout.

Lorsque tu vois un champignon qui t'intéresse, déterre-le avec ton couteau en prenant soin de ne briser ni le pied ni le chapeau. Observe-le attentivement, regarde sa texture, sa forme, sa couleur. Si tu te sens l'âme d'un artiste, ce jour-là, sors ta tablette à dessin, installe-toi confortablement, le dos appuyé contre un tronc d'arbre ou une butte, et dessine-le en respectant bien tous les détails. Au bas de ton croquis, note l'endroit où tu as trouvé ce spécimen, ainsi que son nom si tu l'as repéré dans ton guide. Sinon, tu ajouteras cette précision à la maison. Ensuite, jette ton « modèle ».

Au moment de classer tes informations, inspire-toi de cet exemple de fiche. Il pourra te faciliter la tâche.

J'ai cueilli un champignon

Endroit : _____

Date : _____

Description du spécimen _____

● forme : _____

● couleur : _____

● texture : _____

● odeur : _____

● dimension : _____

Nom du champignon : _____

Dessin du spécimen

Observation à la loupe
d'une coupe transversale
du champignon

Après cette étape, tu es certainement capable de dire où tu as trouvé le plus grand nombre de champignons, quelle sorte tu as rencontrée le plus souvent et quelle forme est la plus fréquente dans ta récolte (regarde tes croquis pour ça).

Tu sais que tu ne dois pas récolter de champignons quand tu es tout seul ou avec quelqu'un qui n'est pas un mycologue (un spécialiste des champignons). Par contre, si tu accompagnes quelqu'un qui s'y connaît parfaitement, n'hésite pas à remplir ton panier. Tu te régaleras au souper. Parles-en à celui de tes parents qui sait les préparer. Les recettes sont nombreuses et délicieuses: grillés, en vinaigrette, à la crème, etc.

Et si tu veux obtenir de la documentation, tu peux communiquer avec le secrétariat du Centre des mycologues de Montréal, 4101 est rue Sherbrooke, à Montréal (tél.: 374-3541). Profites-en pour te renseigner sur les visites organisées.

LA PLUS BELLE FLEUR

Tout le monde aime les fleurs. Elles mettent de la joie partout et, en hiver, elles nous font oublier le froid et la neige. Aussi, il serait intéressant pour toi de faire une enquête afin de savoir quelle est la fleur préférée parmi les personnes de ton entourage. De cette façon, lorsque tu auras envie d'offrir un bouquet à quelqu'un, tu seras sûr de tomber juste.

Choisis trois groupes de « sujets ». Dans le premier, par exemple, réunis les élèves de ta classe. Forme le second avec tes amis (ceux avec qui tu joues après l'école), tes frères et soeurs, tes cousins. Et le troisième se compose de tes parents, de tes oncles et tantes et de tes voisins.

Demande à chacun quelle fleur il aimerait cultiver et soigner, si jamais il avait le droit de n'en planter qu'une seule. Tu sais parfaitement, maintenant, de quelle façon t'y prendre pour préparer tes fiches d'interview. Tu n'auras donc aucun mal à ce niveau.

Recueille des informations précises, en utilisant tous les moyens d'enquête que tu connais: questionnaire écrit ou oral, interview avec ou sans magnétophone, etc.

Transcris tes résultats sur de grands tableaux, puis construis des histogrammes géants. Cela permettra à tout le monde de voir au premier coup d'oeil quelle est la fleur préférée pour chacun des trois groupes.

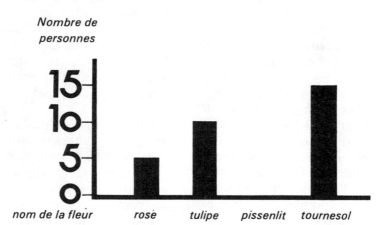

Pense à d'autres histogrammes que tu pourrais faire en superposant les résultats, ou en te basant sur le choix exprimé par les « sujets » féminins ou masculins, etc.

Ensuite, tu pourras reprendre ton enquête en tâchant de voir pour quelle raison chaque personne préfère telle ou telle fleur.

Tu pourrais aussi faire pousser en pots, près d'une fenêtre ensoleillée, les fleurs préférées de tes camarades.

LA GERMINATION DU HARICOT

Que ce soit chez toi ou chez des amis, tu as déjà vu des plantes en pot. Elles avaient un feuillage abondant et leurs fleurs étaient épanouies, ce qui signifie qu'elles étaient parvenues à maturité, que c'étaient des plantes adultes. Mais as-tu déjà assisté à la « naissance » d'une plante, c'est-à-dire à sa *germination?* C'est un phénomène tellement passionnant qu'on a parfois du mal à accepter qu'il se déroule aussi lentement. L'expérience que nous te proposons maintenant exige donc que tu saches te montrer patient et attentif. Tu verras, quand les premières feuilles se dérouleront, tu te sentiras largement récompensé. Cette fois-ci, nous allons voir naître un haricot. Dans le prochain jeu, ce sera une pomme de terre et nous t'y réservons une surprise extraordinaire.

- graines de haricot
- un grand contenant avec couvercle
- de la ouate
- une règle
- papier quadrillé et crayon

Les préparatifs

Comme d'habitude, tu peux te préparer pour cette expérience en te documentant dans des livres de botanique ou en visitant une serre, une pépinière ou un jardin botanique.

Procure-toi chez un grainetier des graines de haricot. Il ne t'en faut pas beaucoup, mais il vaut mieux que tu en fasses germer plusieurs pour plus de certitude. Tu peux en planter quelques-unes dans un pot rempli de terre si tu veux avoir un élément de comparaison. Quant aux autres, voici ce que tu dois faire.

Prends une grande boîte dont le couvercle ferme bien. Mets-y une bonne couche de ouate humide, mais pas détrempée, puis creuse des nids avec ton doigt en les espaçant suffisamment et dépose une graine dans chacun. Referme soigneusement ta boîte pour retarder l'évaporation de l'eau. Chaque jour, tu devras vérifier si la ouate est encore assez humide. En laissant un bol d'eau à côté de ton « berceau », tu y penseras plus facilement.

Prépare maintenant tes fiches d'observation. Il t'en faut une pour chacune des graines que tu as mises à germer dans la ouate et une autre pour le pot. Pour ne pas te mélanger, tu pourrais identifier chaque graine par une lettre, un chiffre ou même lui donner un nom.

Chaque jour, lorsque tu vérifies l'humidité de la ouate, examine tes graines:

— Ont-elles gonflé?

— La peau commence-t-elle à se fendiller?

— Vois-tu apparaître les premières *racines* (partie blanche) et les premières *feuilles* (partie verte)?

— Et que se passe-t-il dans ton pot?

Mesures — Graine X — Tige	Racine
1er jour		
2e jour		
3e jour		

Note tes observations et pour mieux te rendre compte de la vitesse de germination (même si tu trouves que c'est plutôt de la lenteur!), mesure quotidiennement la longueur des tiges et des racines dès leur apparition. Attention: tu as affaire à des bébés et tu dois donc les manipuler avec énormément de délicatesse, surtout lorsque tu étires les racines et les tiges pour les mesurer. Si tu les prends trop brusquement, tu risques de les voir mourir et ton expérience serait à l'eau.

Trace deux graphiques pour chaque graine, en fonction du nombre de jours: l'un pour les racines, l'autre pour les tiges.

Que remarques-tu, en regardant tes graphiques, et quelles sont tes conclusions?

Quand tes bébés seront devenus un peu plus grands, soit au moment où ils auront beaucoup de racines et que les feuilles commenceront à se dérouler, tu n'auras plus des graines, mais des *plantules*. Il sera temps, alors, de les sortir de leur berceau et de les planter individuellement dans de petits pots. Manipule-les toujours avec beaucoup de délicatesse, en les tenant entre deux doigts par le milieu de la tige. Évite de toucher aux racines et aux feuilles. Quand tes plantules seront devenues des *plants,* rempote-les de nouveau, mais dans des contenants plus grands. Quelques semaines après la floraison, tu pourras récolter tes premiers haricots.

LA GERMINATION DE LA POMME DE TERRE

Comme tu peux le voir, nous sommes en train de faire de toi un jardinier expérimental et non un jardinier traditionnel qui fait pousser ses légumes dans la terre. C'est que, dans ces expériences, on s'intéresse plus à la façon dont pousse une plante qu'à une bonne récolte. Et, cette fois-ci, nous te proposons deux expériences en une. Commençons par la première.

MATÉRIEL
- *huit pommes de terre*
- *récipients*
- *eau*
- *terre*
- *une boîte fermant hermétiquement*
- *loupe*
- *microscope et appareil de photo (si possible)*
- *couteau*
- *papier quadrillé et crayon*

Expérience

Avec ton couteau, épluche quatre pommes de terre seulement. Ensuite, réunis-les par paires avec celles qui n'ont pas été pelées (ce qui te donne, pour chaque paire, une pomme de terre habillée et une pomme de terre toute nue).

Maintenant, installe-les comme ceci :

a) une paire en plein soleil

b) une paire baignant dans un plat rempli d'eau à moitié

c) une paire dans une boîte fermée hermétiquement

d) une paire dans une boîte contenant une couche de terre qui doit rester toujours humide. N'enfonce pas tes tubercules, dépose-les simplement sur la terre.

Après t'être lavé les mains, tu peux commencer à préparer tes fiches d'observation ; ton expérience durera à peu près une bonne douzaine de jours.

Pommes de terre

	à l'humidité		au soleil		dans l'eau		boîte fermée	
	avec pelure	sans pelure	avec pelure	sans pelure	avec pelure	sans pelure	avec pelure	sans pelure
couleur								
odeur								
consistance								
présence de moisissures								
apparence des moisissures								
etc.								

Chaque jour, observe attentivement les changements qui surviennent sur les paires en fonction de leur milieu de vie. Compare les membres d'une même paire entre eux, remarque leur pelure, la coloration, la fermeté ou le ramollissement, le poids, le volume, l'apparition des moisissures, etc. Et aussi, un peu plus tard, l'apparition des ramifications. On dirait que ta pomme de terre est en train de se déguiser en pieuvre.

Tu peux les examiner avec une loupe, en faire des dessins, ou encore les photographier tous les trois jours (ce qui veut dire quatre photos — une par paire — chaque fois).

Lorsque ton expérience est terminée et que tes remarques sont complètes, plonge toutes tes pommes de terre dans l'eau froide pendant vingt-quatre heures.

Y a-t-il des changements? Tes notes sont-elles encore exactes?

Deuxième expérience : des tomates dans les patates

Cette fois-ci, tu pourras faire des observations et te régaler par la même occasion. Tu assisteras aussi à un spectacle étonnant parce que nous allons t'expliquer comment *faire pousser des tomates dans des pommes de terre!* Le seul ennui, c'est qu'on ne peut faire cette expérience qu'au printemps, parce qu'il faut de très jeunes plants de tomates. Mais cette attente en vaut la peine.

Au printemps donc, demande à tes parents d'aller au marché ou chez un pépiniériste et d'acheter quelques très jeunes plants de tomates. Très jeunes, ça veut dire qu'ils doivent être *tout petits*. Ou encore, tu peux préparer tes semis à partir de graines, mais c'est beaucoup plus difficile parce que les semis sont extrêmement fragiles et demandent énormément de soins.

Une fois que tu as tes petits plants, tu prends une pomme de terre pour chacun (elle doit être de bonne grosseur) en choisissant celles qui ont des « yeux ». Tu creuses des trous ayant 2 ou 3 centimètres de diamètre, tu les remplis de terre et tu y insères très délicatement tes plantules de tomates. Quand tu as fini, tu plantes tes pommes de terre comme d'habitude, dans le jardin ou, si tu n'en as pas, dans un très gros pot. Ensuite, tu arroses chaque fois que la terre sèche, tu vérifies si tes plants ont assez de soleil (il en faut beaucoup pour que les tomates mûrissent) et tu observes ce qui se passe. Tu verras tes tomates grandir, fleurir puis porter de tout petits fruits verts qui deviendront , vers le milieu de l'été de beaux gros fruits rouges. Pendant ce temps, dans la terre, tes pommes de terre-berçeau se seront également développées et auront donné naissance à de nouveaux tubercules.

Le jour où tu feras ta récolte, tu pourras te mettre à table devant une belle salade de tomates et de bonnes pommes de terre sautées qui proviendront, finalement, d'un seul et même plant !

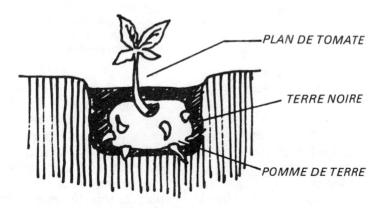

PLAN DE TOMATE

TERRE NOIRE

POMME DE TERRE

TROIS PLANTES, TROIS SOLS

Est-ce que tu sais qu'on dit des gens qui ont de belles plantes qu'ils ont les « pouces verts » ? En réalité, il ne s'agit nullement de martiens. Ce sont simplement des personnes qui aiment les plantes et qui se sont documentées sur leurs besoins en eau, en air, en lumière, etc. Avec les prochains jeux, nous allons faire en sorte de t'aider à bien comprendre la façon dont les plantes vivent. Il serait donc préférable que tu suives les expériences dans l'ordre pour éviter les échecs. Et si tu vois tes pouces verdir, ne t'inquiète pas ! Ce ne sera qu'une illusion causée par une meilleure connaissance de nos amies les plantes.

Si certaines plantes poussent très bien dans l'eau, elles préfèrent presque toutes vivre dans la terre. Mais, de la même façon qu'il y a des gens qui sont acclimatés au froid comme les Esquimaux ou qui ne peuvent pas vivre sans beaucoup de soleil ou de chaleur, il y a des plantes qui ont besoin d'un sol sablonneux, argileux, ou autre. C'est le thème du jeu d'aujourd'hui.

MATÉRIEL
- *graines de radis, de blé et de haricot*
- *neuf pots à fleur de taille moyenne*
- *terreau préparé (ou « terre noire »)*
- *sable*
- *argile, terre très argileuse ou argile rouge à modelage (pas de plasticine)*
- *cylindre gradué*

Avant d'aller plus loin, il faut que tu saches que cette expérience va durer pendant plusieurs jours. Tu dois donc t'armer de patience et sans te décourager laisser aux plantes tout le temps dont elles ont besoin pour pousser. De toute façon, il n'est pas question que tu passes des journées entières devant tes pots. Tu trouveras facilement dans les autres pages de quoi t'occuper, en attendant.

Regarde s'il y a dans ta maison une fenêtre qui reçoit beaucoup de soleil et demande à tes parents si tu peux installer une petite table devant, où tu pourras déposer tes neuf pots pendant l'expérience.

Ensuite, remplis tes pots de terre, en respectant les proportions suivantes:

— *Composition du sol:*

   1 partie de terreau,
   3 parties de glaise.

— *Composition du sol:*

   1 partie de terreau,
   3 parties de sable.

— *Composition du sol:*

   seulement du terreau.

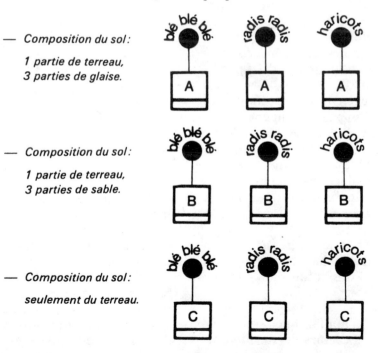

147

Tu as donc trois pots avec un mélange terreau-glaise, trois avec un mélange terreau-sable et trois avec seulement du terreau. On appellera les premiers A, les seconds B et les troisièmes C.

Maintenant que tes pots sont prêts, arrose la terre, mais sans la détremper. Ensuite dépose quelques graines de radis sur la terre d'un pot A, d'un pot B, et d'un pot C. Espace-les légèrement et recouvre-les d'une mince couche de terre. Prends tes grains de blé et fais la même chose (A, B et C). Termine avec les graines de haricots. Identifie bien tes pots et tes graines.

Tous les jours, arrose ton jardin en versant 10 millilitres d'eau dans chaque pot.

Au bout de quelques jours, tes graines devraient com-mencer à germer. Tu pourras donc commencer tes observations.

— Est-ce que la vitesse de croissance varie avec le sol?

— Y en a-t-il qui sont plus chétives que d'autres?

— Quelles graines semblent mieux pousser dans le A?

— Dans le B?

— Dans le C?

— Les feuilles sont-elles d'un beau vert ou non?

— Se multiplient-elles bien?

Comme tu sais préparer des fiches, nous ne te donnerons pas de modèle ici. Simplement, fais une liste de toutes les choses que tu voudras observer, prépare des fiches compilatives, tableaux cumulatifs ou histogrammes selon ton choix, dessine tes plantes au fur et à mesure qu'elles grandissent, et profite pour bien te documenter du fait que cela prend du temps.

LE COMPORTEMENT DES PLANTES À LA LUMIÈRE

Si les plantes ont besoin de terre pour vivre, il leur faut également de la lumière. C'est pour ça que, dans les maisons, on les met souvent près des fenêtres qui reçoivent le plus de soleil ou sur des étagères auxquelles on fixe un système d'éclairage spécial. Aujourd'hui, nous allons amorcer une expérience sur la façon dont la lumière agit sur le comportement des plantes.

MATÉRIEL
● *douze boîtes de conserves percées de quelques trous ou douze petits pots à fleur avec soucoupes*
● *soixante graines de haricots dont la croissance a été accélérée par un trempage de 24 heures, ou toutes autres graines*
● *une bouteille de lait en carton*
● *des boîtes à chaussures*

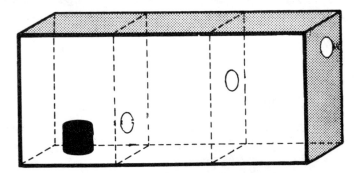

Expérience

Prends une douzaine de boîtes de conserve si tu n'as pas de pots, perce des trous dans le fond, remplis-les de terre aux quatre cinquièmes et dépose dans chacune quatre ou cinq graines de haricots. Arrose-les régulièrement.

Lorsque les plantules ont environ cinq centimètres de haut, examine-les bien et choisis la plus vigoureuse dans chaque boîte. Arrache toutes les autres ou transplante-les dans d'autres pots ou une boîte à fleurs.

Prépare tes fiches d'observation et procède aux expériences suivantes:

1) Mets une boîte dans un placard où l'obscurité est complète (choisis-en un qu'on n'ouvre presque jamais). Place d'autres boîtes devant une lumière très forte, une autre plus faible, dans une pièce où il fait sombre, sur le balcon s'il fait assez chaud, etc. Enfin, diversifie tes sources lumineuses en fonction de leur intensité.

2) Prends une bouteille de lait en carton. Sur l'un des côtés, découpe un trou gros comme une pièce de 25 sous, puis supprime la partie triangulaire de la bouteille, de façon à ce qu'elle se tienne bien debout une fois que tu l'auras renversée sur l'une de tes boîtes de conserve.

Observe bien ce qui va se passer.

3) Construis un labyrinthe avec une ou plusieurs boîte à chaussures. Regarde le dessin. Fais trois trous dans tes trois cloisons, à des hauteurs différentes, installe une boîte de plantules dans le premier compartiment, et reprends tes observations. Attention, le couvercle de ta boîte doit être très bien fermé.

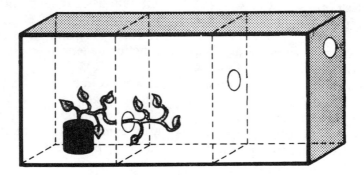

labyrinthe

4) Place les boîtes qui te restent, sauf une, devant une fenêtre, un néon, une lampe de poche, des ampoules de couleur, etc.

5) Prends ta dernière boîte et suspends-la la tête en bas.

Tu as donc beaucoup de matériel d'expérience.

Tous les jours, fais le tour de ton jardin et note les changements que tu remarques. Inscris également ce qui te permet de distinguer un plant faible et chétif d'un plant sain et fort. N'oublie pas d'arroser régulièrement, sinon tes observations s'en trouveront faussées.

COMMENT LES FEUILLES SE NOURRISSENT-ELLES?

Bien sûr, avec un tel titre, il ne faut pas se tromper. Ni soupe ni dessert pour les plantes. Mais même si tu sais qu'il leur faut de l'eau, du soleil, de la terre, cela ne t'explique pas forcément comment elles absorbent tous ces éléments. Nous allons donc voir ça d'un peu plus près, mais uniquement avec des parties de plantes.

MATÉRIEL
- *loupe*
- *colorant alimentaire rouge*
- *branches de céleri bien fermes*
- *feuilles de chou, de radis, etc.*
- *une dizaine de récipients*
- *couteau*
- *sucre*
- *sel*

Expérience

Remplis un verre d'eau, verses-y une bonne dizaine de gouttes d'un colorant alimentaire rouge et dépose dans le verre une branche de céleri, les feuilles en haut. Attends quelques minutes et note tes observations, comme le temps que prennent les feuilles pour se colorer, etc.

Maintenant, recommence la même expérience dans un autre verre, mais cette fois, mets ta branche les feuilles en bas.

Prends une troisième branche de céleri, enlève toutes ses feuilles et dépose-la dans le verre. Jette un coup d'oeil sur les deux premiers verres pour voir s'il y a d'autres changements.

Dans ton quatrième récipient, dépose une branche avec ses feuilles, la tête en haut, et, en plus du colorant, mets-y une cuillerée à soupe de sel. Fais la même chose avec un autre verre, mais remplace le sel par du sucre. Puis par du bicarbonate de soude.

Maintenant, prends tes branches de céleri une par une, fixe à chacune une ficelle avec une étiquette pour ne pas oublier dans quel verre elles étaient, et coupe-les dans le sens horizontal. Que remarques-tu?

Prends le temps de bien lire tes notes et d'en tirer des conclusions.

Tu peux recommencer toute cette série d'expériences avec des feuilles de radis, de chou, de salade ou de toute autre plante.

LE GÉANT VERT

À quelques exceptions près, les plantes sont vertes. On est tellement habitué à ce phénomène qu'on ne se demande même pas pourquoi. Avec le jeu d'aujourd'hui, ainsi qu'avec le suivant, tu vas pouvoir éclaircir ce mystère.

MATÉRIEL
- *feuilles de légumes: épinard, brocoli, céleri, laitue, carotte, chou, etc.*
- *feuilles de chou rouge*
- *petit couteau*
- *papier absorbant (journal ou buvard)*
- *règle*
- *ciseaux*
- *petit support en bois pour maintenir les bandes de papier (voir l'illustration)*
- *petits récipients*
- *alcool méthylique employé en polycopie (**lis attentivement la mise en garde**)*
- *loupe*
- *compte-gouttes*
- *lames de verre*
- *microscope*

Expérience

Commence tout d'abord par te fabriquer un support comme sur le dessin:

156

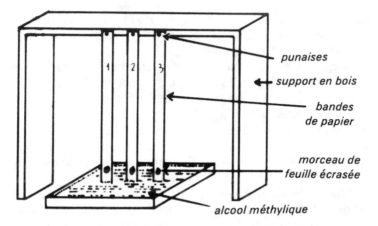

punaises

support en bois

bandes
de papier

morceau de
feuille écrasée

alcool méthylique

plat rectangulaire en pyrex

Découpe plusieurs bandes de papier dans du journal ou du buvard. Elles doivent avoir 1 centimètre de large et 15 de long. Numérote-les et reporte ces numéros sur chacune de tes fiches d'observation.

Prends un récipient peu profond et verses-y de l'alcool méthylique.

ATTENTION: *Cet alcool est très inflammable. C'est pourquoi tu dois travailler sur une table près d'une fenêtre ouverte et INTERDIRE de s'en approcher à toute personne qui serait en train de fumer ou qui aurait en main un objet susceptible de faire des étincelles (briquet, etc.) Évite également de te pencher sur le récipient pour ne pas respirer les vapeurs de l'alcool.*

Maintenant, choisis une feuille de légume, celle que tu veux, du moment qu'elle est fraîche et bien verte. Écris le nom du légume sur la fiche qui porte le numéro 1. Découpe dans ta feuille un cercle gros comme une pièce de 10 sous, et écrase celui-ci sur ta bande˙ numéro 1, à 1 centimètre du bout. Fixe la bande à ton support avec une punaise, puis laisse tremper dans l'alcool l'extrémité où tu as écrasé le morceau de feuille. Tu procèderas de la même façon pour tous tes échantillons de feuille.

Examine bien ce qui se passe sur ta première bande avant de préparer la suivante.

— Fais des schémas, prends des notes.

— Compare les bandes de papier et les morceaux de feuille écrasés.

— Observe aussi l'alcool méthylique dans lequel trempent les feuilles. Que s'est-il passé?

— Examine une goutte de cet alcool au microscope, dessine ce que tu vois, puis compare avec un échantillon d'alcool méthylique pur.

— Regarde tes bandes. Comment sont-elles, maintenant? Peux-tu expliquer ce qui s'est passé?

— Qu'as-tu remarqué avec le morceau de chou rouge?

Une fois que ton expérience est terminée, vide soigneusement ton récipient dans l'évier de la cuisine, lave bien le plat et range tout. Relis tes notes afin de te préparer pour la prochaine expérience qui va t'apporter un complément d'information.

LA CHLOROPHYLLE

Lors de l'expérience précédente, tu as fait la connaissance du géant vert. Maintenant, tu vas voir comment il vit ou travaille, comme tu préfères. Tu reprends le même matériel que pour l'expérience précédente et tu y ajoutes les accessoires suivants:

- *pince à sourcils*
- *verre de Pétri*

N'oublie pas tes feuilles de légume. *Et relis la mise en garde à propos de l'alcool méthylique.*

Choisis quelques feuilles bien vertes. Observe-les à la loupe ou au microscope et dessine ce que tu vois.

Maintenant, découpe ces feuilles (une variété à la fois) en petits morceaux que tu déposeras dans l'alcool méthylique. Quelques millilitres suffisent si ton récipient est assez petit. Plus tu mets d'alcool, plus tu devras ajouter de morceaux de feuille. Ferme ou recouvre ton récipient, puis place-le dans un *endroit sombre.*

Au bout de quelques heures, retourne chercher ton récipient. Observe bien l'alcool et les feuilles. Que remarques-tu? Y a-t-il quelque chose de changé? Écris ce que tu vois pour ne pas l'oublier.

Passe à la seconde étape: recommence les mêmes préparatifs (*même quantité* d'alcool et de feuilles que pour la première fois), puis va porter ton récipient dans un *endroit bien ensoleillé* ou même dehors si c'est en été. Laisse-le au soleil *aussi longtemps* que lorsqu'il était dans la pénombre. Au bout de ce laps de temps, observe les changements qui se sont opérés, prends des notes puis compare-les avec celles de la première expérience.

Enfin, reprends ces deux étapes, mais cette fois avec des morceaux de chou rouge.

Quelles sont tes conclusions? Comprends-tu mieux le rôle de la chlorophylle dans le vie des plantes? N'oublie pas de compléter tes observations en te documentant dans des livres de botanique.

LA CELLULE VÉGÉTALE

Voici la dernière expérience à propos des plantes. Quand je dis « dernière », je veux dire pour ce livre. Parce que toi, tu as tout le loisir d'en inventer d'autres, autant que tu voudras. Après avoir étudié comment vit la plante, tu vas maintenant examiner son corps ou, plus exactement, les cellules qui le composent.

MATÉRIEL
- *microscope*
- *lames de verre*
- *couvre-objets*
- *pince à sourcils*
- *lame de rasoir*
- *papier essuie-mains*
- *savon à vaisselle*
- *colorant alimentaire*
- *bleu de méthylène (pour soigner le mal de gorge) ou teinture d'iode*
- *papier*
- *ruban gommé*
- *extracteur de jus (« blender ») ou presse-citron*
- *petit couteau bien tranchant*

Expérience

Ce n'était pas dans la liste, mais il te faut évidemment plusieurs échantillons de légumes et autres végétaux: pomme de terre, oignon, carotte, courge, banane, pomme, grain de maïs, betterave, enfin tout ce qui te passe par la tête. Et pense aux fleurs, sans oublier les aquatiques comme les iris et les nénuphars.

Prépare tout d'abord divers échantillons de tissu végétal. Commence par la pomme de terre et l'oignon. Pour celui-ci, prélève avec une pince à sourcils la fine pelure très mince qui sépare les différentes couches et dépose-la sur une lame de verre. Dans le cas de la pomme de terre, comme pour tous tes autres échantillons, tu dois faire des coupes extrêmement minces, suffisamment en tout cas pour que tu puisses voir la lumière passer à travers. Sers-toi d'un couteau très tranchant (attention à tes doigts, ce ne sont pas eux que tu vas examiner) ou d'une lame de rasoir. Si tu prends une lame, recouvres-en le fil du côté que tu n'utiliseras pas avec du papier collant. Cela limite les risques d'accident.

Une fois que tes échantillons sont prêts, prépare les étiquettes qui te permettront d'identifier tes coupes, puis commence à les examiner au microscope.

Varie tes observations en teintant tes échantillons avec du colorant alimentaire puis, avec du bleu de méthylène ou de la teinture d'iode (bien entendu, tu changes chaque fois de coupe).

Pendant ton examen au microscope, prends des notes et dessine ce que tu vois.

Une fois que tu as terminé avec tes coupes, recommence toute la série, mais cette fois avec le jus de tes divers spécimens: jus de pomme de terre, de carotte, de pomme.

Après avoir tout noté, remets tous tes accessoires en place et établis des tableaux comparatifs, etc.

Une autre fois, tu pourras examiner les différentes parties d'une fleur: racine, feuilles, pistil, étamines, etc.

UN CAILLOU, DEUX CAILLOUX, TROIS CAILLOUX

La plupart des gens s'imaginent que les pierres ne vivent pas, uniquement parce qu'elles restent inertes, c'est-à-dire qu'elles ne bougent pas. Mais ce n'est pas vrai. Les pierres que tu vois sur la plage ou dans un parc, les rochers qui forment les montagnes ne sont pas tombés du ciel comme ça (sauf si ce sont des météorites, mais ça, on n'en rencontre pas tous les jours). Il a fallu des siècles et des siècles pour que de minuscules particules s'agglomèrent ensemble et deviennent une montagne. Et ça aussi, c'est une forme de vie.

Et puis, quand on sait bien les regarder, on s'aperçoit qu'il y a des pierres qui ne sont pas « précieuses » — elles en sont peut-être plus sympathiques — et qui sont très belles.

Peut-être as-tu déjà commencé une collection de pierres. Sinon, il est possible que cette expérience, tout comme les deux suivantes, t'en donne le goût. Dans ce cas, tu découvriras des choses très intéressantes et auxquelles tu n'avais sûrement jamais pensé.

MATÉRIEL
- *roches tirées d'une collection*
- *roches ramassées un peu partout*

- *petite pelle*
- *couteau*
- *loupe*
- *balance à plateaux*
- *dynamomètre*
- *masses marquées*

Expérience

La première étape consiste évidemment à te procurer des pierres. Tu peux aller dans une boutique spécialisée et tu peux aussi, surtout, les ramasser un peu partout. Dans ce dernier cas, munis-toi d'un sac, d'une pelle et d'un petit couteau (pour dégager celles qui seraient trop enfoncées), ainsi que d'un carnet pour noter avec précision l'endroit où tu les as trouvées. Par exemple: coin Larivière et Miron, à Patatipatata, ou encore parc du Grand Paresseux, près de la rivière Soleil. Enveloppe-les dans des chiffons ou du journal pour qu'elles ne s'abîment pas en se cognant entre elles.

Quand tu es rentré de ton expédition, commence à examiner tes échantillons. Il existe des roches sédimentaires, des roches ignées et des roches métamorphiques. Ce sont les sédimentaires qui sont les plus faciles à reconnaître parce qu'elles sont faites d'un tas de granules ou d'un ensemble de couches. Pour les deux autres, tu ferais bien de consulter des livres spécialisés.

Voici les détails auxquels tu devrais t'intéresser, sans compter tous les autres qui te viendront à l'idée.

— Décris, sur ta fiche d'observation, la forme qu'avait ta roche quand tu l'as ramassée. Note si tu l'as cassée ou effritée à ce moment-là. Dessine-la.

— Écris ses couleurs et colorie ton dessin.

— Observe ta roche à la loupe. Note la forme, la couleur, la dimension et autres caractéristiques des grains et des cristaux.

— Fais des schémas de tes observations.

— Remarque l'odeur, le goût, la texture, le poids de ton échantillon.

Ensuite, range ta pierre dans une petite boîte en l'identifiant si tu as réussis à la reconnaître dans un livre. Et passe à l'examen de la suivante. Comme tu peux le voir, tu risques d'être occupé pendant plusieurs après-midi!

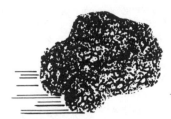

roche faite d'un tas de granules

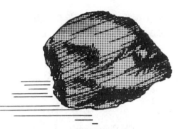

roche faite d'un ensemble de couches

texture des roches mé-tamorphiques

texture des roches ignées

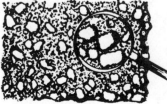

texture des roches sédimen-taires

LES SECRETS D'UNE ROCHE

Tu connais un peu mieux les caractéristiques des pierres, il te reste à découvrir leurs *réactions*. Car elles en ont, et c'est bien là la preuve qu'il existe en elles une forme de vie. Cette fois-ci, tu as besoin de beaucoup de choses, mais tu n'es pas obligé de faire toutes les expériences le même jour. Sinon, que feras-tu, les jours de pluie?

MATÉRIEL
- *roches de collection*
- *roches recueillies un peu partout*
- *plaques à rayer (vieux carreau de céramique, morceau de porcelaine sans vernis, plaque de métal dur)*
- *ampoule de lampe de poche*
- *pièce de un cent*
- *papier*
- *morceau de linoléum (prélart)*
- *aimant*
- *boussole*
- *pile sèche*
- *fil électrique*
- *vinaigre*
- *compte-gouttes*
- *petit couteau*
- *dynamomètre*
- *vase à trop-plein*
- *contenant*
- *ficelle — Alouette! Aaaahhh!*

Expériences

Une fois que tu as rassemblé une bonne partie, sinon la totalité, de ton matériel et préparé tes fiches d'observation, tu peux passer à l'action.

— Note si ta roche peut marquer une plaque à

168

rayer. Essaye d'écrire avec sur d'autres surfaces, comme du papier, du linoléum, l'asphalte du trottoir, etc. Note bien tous tes résultats et décris la couleur de la *trace* ainsi laissée. Reprends avec d'autres pierres et compare les traces.

— Vérifie si ton échantillon est attiré par un aimant, donc s'il est *magnétique*. Approche lentement ton échantillon d'une boussole et écris tes observations.

— Vérifie si ton échantillon est *conducteur d'électricité*. C'est très rare, mais c'est possible. Introduis-le dans un circuit comprenant une pile, une ampoule et des fils métalliques, et remarque ce qui se passe.

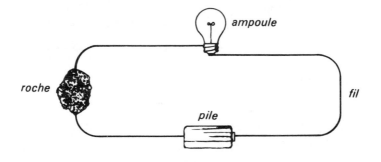

ampoule

roche

fil

pile

— Vérifie l'*effervescence* de ton échantillon en versant du vinaigre dessus. Cherche dans tes livres ce qui cause ce phénomène. Et continue de prendre des notes.

— Observe et note la *dureté* de ton échantillon en le rayant successivement avec une lame de microscope, avec un petit couteau, avec une pièce de un cent et, enfin, avec ton ongle. Classe ensuite chacun de tes échantillons selon une échelle graduée de 1 à 5, 1 correspondant aux plus tendres et 5 aux plus durs. Documente-toi sur les méthodes les plus courantes pour mesurer la dureté d'une roche.

Exemple d'échelle

Les très dures	Les dures	Les moyennement dures	Les tendres	Les très tendres
ne se raient pas	lame de microscope	couteau	sous	ongle

— Enfin, évalue la *densité* de tes roches en les soupesant. Compare des échantillons ayant à peu près le même volume, cela t'aidera. Classe-les selon une échelle qui ressemblerait à celle-ci :

très léger

léger

lourd

très lourd

As-tu d'autres idées? (Non, pas question de vérifier si elle est assez solide pour briser une vitre de l'école!)

PAUVRE PETIT SOL

Le sol est un pauvre oublié. On dit la terre, le sol, la pierre, et puis on pense avoir tout dit. On s'imagine qu'il n'y a qu'une seule sorte de terre, de sol, de pierre, etc. Et c'est pourquoi ce pauvre petit sol est si méconnu. Pourtant, s'il n'était pas sous nos pieds, on se demande bien sur quoi on marcherait! Avec cette expérience, tu vas découvrir qu'il a de très nombreux frères qui s'appelle sable, gravier, roc, glaise, etc.

MATÉRIEL
- *échantillons de sols ramassés un peu partout*
- *contenants en verre ou en plastique transparent*
- *cylindre gradué*
- *crayon gras*
- *balance à plateaux*
- *loupe*
- *thermomètre*
- *lames de verre*
- *couvre-objets*
- *microscope*
- *compte-gouttes*
- *pince à sourcils*
- *sablier*
- *entonnoir avec une ouverture de 2 cm de diamètre*
- *pots à fleur*
- *graines de haricot*

Expérience

Avant de partir en expédition, réfléchis aux divers endroits où tu pourrais ramasser des échantillons: jardin, pied d'un arbre, rives d'un lac, flanc d'une montagne, abords d'une carrière, fond de cour, etc.

Prends un panier en osier ou comme ceux dans lesquels on vend des fruits, places-y tes bocaux en les calant avec du journal pour éviter qu'ils s'entrechoquent ou qu'ils se renversent, n'oublie ni une petite pelle, ni ton thermomètre, ni ton carnet d'observations. Et surtout, dernière précision mais d'importance, range tout ça si on est en hiver. Tu ne pourrais ramasser que de la glace, de la neige (voir l'expérience sur les *précipitations*) ou de la gadoue.

Ramasse à peu près 200 millilitres de chaque échantillon et, avec ton crayon gras, écris une lettre sur le bocal. Reporte cette même lettre dans ton carnet et écris à côté l'endroit où tu as recueilli ce type de sol.

Quand tu en as ramassé au moins cinq, tu peux revenir à la maison et commencer tes observations. Garde au moins 150 millilitres bien tassés de chaque sorte.

Suggestions

Voici une liste d'observations que tu pourrais faire. Ici encore, tu peux rajouter tout ce que nous, nous aurions oublié à ce sujet.

— Température du sol au moment où tu l'as ramassé

(c'était pour ça, ton ther-momètre).

— Masse du sol peu de temps après l'avoir ra-massé.

— Masse du sol, le lende-main de l'expédition. Comment expliques-tu les différences s'il y en a?

— Couleur du sol.

— Texture du sol: est-elle argileuse, boueuse, sablon-neuse, lisse, collante, etc.?

— Composantes du sol: y a-t-il des cailloux — gros ou petits — , des débris de plantes ou de feuilles mortes, des oeufs d'insectes, des vers de ter-re, etc.?

— Plasticité: si tu essaies d'en faire une boule, garde-t-il cette forme ou s'effrite-t-il immédiate-ment, ou quoi?

— Temps nécessaire pour que l'échantillon passe à travers un sablier ou un entonnoir dont le passage a 2 cm de diamètre.

— Apparence du sol observé à la loupe; dessine ce que tu vois.

— Apparence du sol observé au microscope; ressors tes crayons et ta tablette à dessins.

— Réaction du sol mêlé à 1 ou 2 millilitres d'eau: est-ce que sa texture change? et sa malléabilité?

— Réaction du sol mêlé à une quantité égale d'eau (150 millilitres) dans un récipient que tu agites: se mêle-t-il à l'eau en la rendant boueuse et terne, ou tombe-t-il au fond du contenant en laissant l'eau toute propre?

— Uniformité des couches: le sol change-t-il de composition si tu le creuses?

As-tu remarqué les ressemblances? Comprends-tu les différences?

Pourrais-tu maintenant préciser les qualités que doit avoir un sol pour qu'on puisse y faire pousser des plantes? ou construire une maison par-dessus?

Regarde bien tes échantillons. Prends celui qui te semble le plus approprié pour y faire pousser des plantes, verse-le dans un pot à fleur et sèmes-y quelques graines de haricot. Tu peux essayer avec plusieurs échantillons si tu veux comparer les variations de croissance de tes graines.

Qu'est-ce que nous avons oublié?

6 LA LUMIÈRE

Ombralie t'emmène dans le monde de la lumière et de ses ombres. Prépare-toi vite, ne rate pas le départ, car tu voyageras à la vitesse de la lumière, de découverte en découverte.

OMBRALIE

Ombralie est fille de la lumière et de l'ombre. Elle va jouer avec toi durant les trois prochaines expériences pour t'aider à découvrir les rapports qui existent entre ses parents.

MATÉRIEL
- *lampe de poche*
- *carton noir*
- *ciseaux*
- *règle de 30 cm*
- *mètre*
- *papier construction*
- *carton fort*

- *table d'au moins 60 cm de longueur*
- *ficelle*
- *ruban gommé*
- *ruban à masquer*
- *crayon gras*

Expérience

Commence par donner vie à Ombralie. Prends du carton bien solide et dessine une poupée de 10 cm de haut, comme sur le dessin. N'oublie pas le support pour qu'elle tienne debout.

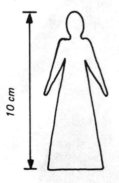

10 cm

support

178

Maintenant, regarde bien le second dessin et prépare ton installation. Tu viens de créer l'univers d'Ombralie.

Même si une image vaut mille mots, les quelques précisions qui suivent vont t'aider à aller plus vite.

— Masque ta lampe de poche avec un carton noir dans lequel tu auras fait un trou de ½ centimètre de diamètre pour laisser passer seulement un petit faisceau de lumière. Comme ça, tu verras beaucoup mieux Ombralie. Cela t'aidera aussi si tu peux fermer les rideaux. En fait, c'est comme au cinéma: il ne faut pas qu'il fasse trop clair.

— Ta table doit être placée de telle sorte que le côté opposé au mur doit en être éloigné de 60 centimètres. Si ta table n'est pas assez longue, agrandis-la en posant une planche dessus.

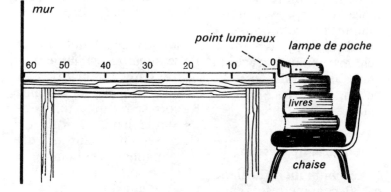

— Place une chaise au bout de la table et empile des livres sur le siège jusqu'à ce qu'ils soient au même niveau que le dessus de la table. Dépose ta lampe de poche dessus et fixe-la avec du papier adhésif ou du « masking tape » pour qu'elle ne risque pas de tomber pendant ta conversation avec Ombralie.

— Colle une bande de ruban à masquer sur le bord de la table ou de la planche. Mesure la distance qui sépare le point lumineux du mur pour être certain qu'il y a bien 60 centimètres, puis trace un trait bien visible sur le ruban, tous les 10 centimètres.

Ombralie entre en scène

Place Ombralie à la ligne de 30 centimètres. Tends une ficelle depuis le haut de son ombre sur le mur jusqu'au point lumineux. Qu'arrive-t-il à la ficelle quand elle passe à la hauteur d'Ombralie?

Maintenant, mesure la hauteur de l'ombre quand tu places Ombralie à 50 centimètres de la source lumineuse, puis à 40, à 30, à 20 et à 10. Inscris tous tes résultats.

Au lieu de faire comme d'habitude, c'est-à-dire d'utiliser des fiches d'observation, histogrammes et autres, essaye cette nouvelle méthode.

Prends une feuille de 60 centimètres de largeur et dessine la silhouette d'Ombralie à la distance correspondant à ton essai. Sur la ligne verticale qui représente le mur, marque la hauteur de l'ombre et trace une ligne pointillée, du sommet de l'ombre à la source lumineuse. Regarde le modèle.

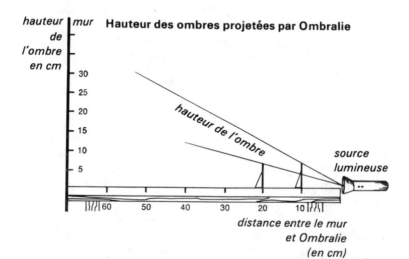

Hauteur des ombres projetées par Ombralie

hauteur de l'ombre en cm | mur

30
25
20
15
10
5

hauteur de l'ombre

source lumineuse

distance entre le mur et Ombralie (en cm)

60 50 40 30 20 10

Fais un résumé de ce que tu as appris avec cette expérience.

Cela t'aide-t-il à comprendre pourquoi ton ombre change de longueur au cours de la journée?

Peux-tu inventer une histoire à propos des déplacements d'Ombralie entre l'ombre et la lumière?

Et si tu sais faire des ombres chinoises avec tes mains, tu pourrais, de temps en temps, projeter des animaux pour lui tenir compagnie. Qu'en penses-tu?

Maintenant, si tu veux retrouver Ombralie, tourne tout simplement la page.

OMBRALIE IMMOBILE

À force de vivre entre un projecteur et un écran, Ombralie commence à se prendre pour une vedette de cinéma et à faire des caprices. Aujourd'hui, elle n'a pas envie de bouger. Il faudra donc que ce soit toi qui te déplaces, ou plutôt ta lampe de poche.

Si tu avais démonté ton installation, replace-la exactement comme pour la première fois, à cette différence près que tu devras fabriquer, avec des livres ou des cahiers, un piédestal pour Ombralie (ah! ces vedettes...), de telle sorte que le bas de sa jupe soit exactement à la même hauteur que le point lumineux. Installe-la à 15 centimètres du mur.

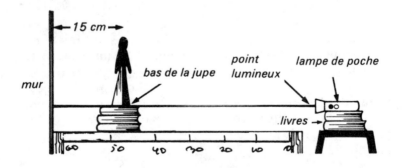

Mesure la hauteur de l'ombre quand le point lumineux est à 10 centimètres, 15, 20, 30, 35, d'Ombralie, en ligne droite. N'oublie pas qu'Ombralie est en congé aujourd'hui, et que c'est ta lampe qui se déplace.

Pour noter tes résultats, prépare un graphique comme celui-ci:

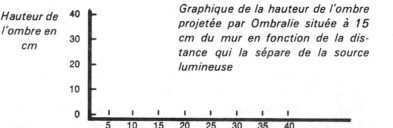

Hauteur de l'ombre en cm

Graphique de la hauteur de l'ombre projetée par Ombralie située à 15 cm du mur en fonction de la distance qui la sépare de la source lumineuse

distance en cm entre Ombralie et la lampe de poche

Interprète tes résultats et compare-les avec ceux que tu avais obtenus lorsque c'était Ombralie qui se déplaçait.

Que peux-tu en conclure?

Bon, j'espère que, la prochaine fois, Ombralie se montrera un peu plus active. Tourne la page et on verra bien ce qui en est.

OMBRALIE L'ÉTOURDIE

Décidément, Ombralie est bien capricieuse en ce moment. Non seulement elle veut encore rester sur place, mais elle ne veut même plus de son piédestal. Et, par-dessus le marché, elle en a assez de voir la lumière arriver sur elle toujours dans la même direction. Elle veut que ça bouge! Quel caractère! Mais comme nous l'aimons beaucoup, nous avons accepté de changer un peu pour lui faire plaisir, et je suis sûr que tu seras d'accord.

Je ne sais pas si je te l'avais dit, mais Ombralie est comme ces grandes fleurs jaunes qu'on appelle des soleils ou encore des tournesols. Sauf que, contrairement à ces fleurs, ce n'est pas elle qui se tourne vers la lumière. C'est plutôt la lumière qui tourne autour d'elle.

Regarde bien le dessin et essaye de deviner quelle direction suivra l'ombre de cette petite capricieuse, selon la position de la source lumineuse.

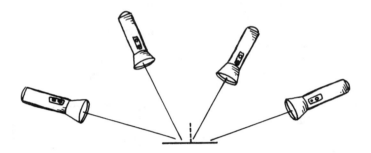

Si tu hésites, fais d'abord une prédiction pour le point A puis vérifie tout de suite (à propos, ton papier noir avec son petit trou est toujours bien fixé sur ta lampe!). Procède de la même façon pour les trois autres points et remplis une fiche comme celle-ci:

	DIRECTION DE L'OMBRE PROJETÉE PAR OMBRALIE	
points	prédictions	vérification
A		
B		
C		
D		

Essaie à partir d'autres points.

Peux-tu maintenant expliquer pourquoi ton ombre

a changé de direction quand tu l'as observée à 8 heures, à midi et à 17 heures?

Et, si avec l'aide de tes amis, tu projetais cette lumière de plusieurs points en même temps, avec plusieurs lampes de poche, crois-tu que ça changerait quelque chose?

As-tu remarqué un phénomène assez particulier? Avant de lire ce dont il s'agit, recommence à diriger ta lampe sur Ombralie depuis les points A, B, C et D. Déplace-la très lentement. As-tu vu ce que je voulais dire? Non? Essaie encore une fois.

Ah! Tu as compris. Est-ce que ça ne te fait pas penser au mouvement du soleil autour de la terre? Réfléchis bien.

Et comme Ombralie est maintenant en pleine forme, puisqu'elle s'est réchauffée aux rayons de ta lampe, invente d'autres jeux pour elle.

« TROIS PETITS TOURS, ET PUIS S'EN VONT... »

Et voilà. C'est la dernière page. Nous partons, mais nous te retrouverons dans un prochain livre de la collection *La Science au bout des doigts*.

En attendant, tu ne risques pas de t'ennuyer. Tu as beaucoup de choses à faire : des enquêtes, des expériences, de la recherche. Tu dois soigner tes plantes et continuer ta collection de pierres. Et il y a aussi tes insectes. L'électricité, ça t'a plu ? Et faire des plans de maison, est-ce que ça t'a attiré vers le métier d'architecte ? Maintenant, tu sais qu'on peut faire autre chose que des bonshommes avec la neige. Finalement, à bien y penser, c'est à ton tour d'inventer des jeux avec la science. Et surtout, n'oublie pas de les montrer à tes amis. Plus on est de savants fous, plus on s'amuse.

Allez, on s'en va. Au revoir, camarade. On se reverra dans un autre livre. Seras-tu au rendez-vous ?

Pour faciliter votre choix d'activité, utiliser cet index de la façon suivante: pour une activité extérieure, regarder les numéros de page placés sous le soleil; les activités intérieures sont sous le dessin de la maison; les activités seules, sous le petit bonhomme; celles de groupe sous la ribambelle et les activités extérieures d'hiver, sous le flocon de neige.

☀	🏠	🧍	🧍🧍🧍	❄
	10		10	
14	14		14	
	16		16	
20		20	20	
	22	22	22	
	28		28	
30		30	30	
	34		34	
	36	36		
	38	38		
	42	42		
	44	44		
46		46		
	48	48		
	50	50	50	
	54	54		
	60	60		
	64	64		
70		70	70	
72		72	72	
	76	76	76	
	80	80		
	84	84	84	
88			88	

92			92	
	96		96	
	100		100	
	106	106		
110	110	110		110
114	114	114		
120	120	120		
126	126	126		
130	130	130		
	134	134		
	138	138		
	142	142		
	146	146		
	150	150		
	154	154		
	156	156		
	160	160		
	160	160		
164	164	164		
	168	168		
172	172	172		
	178	178		
	182	182		
	184	184